跟驰行为
动态特性分析与建模：
基于车辆轨迹数据

Analysis and Modelling of
Dynamic Characteristics of Car-following Behaviour:
Based on Vehicle Trajectory Data

焦帅阳　主编
张　蕾　薛丽媛　副主编

化学工业出版社
·北京·

内容简介

鉴于以往研究在利用实际数据挖掘跟驰行为复杂性及多因素构建精准模型方面的不足，本书以真实的车辆轨迹数据作为研究基础，主要介绍了跟驰数据筛选与降噪方法及跟驰特性分析、基于车头间距与前车速度影响的跟驰模型构建、基于跟驰临界车头间距阈值约束的跟驰模型构建、基于驾驶人碰撞敏感性量化指标的跟驰模型构建、基于长短期记忆神经网络的混合驱动跟驰模型构建。通过对实测数据、仿真实验以及模型对比分析，对所构建模型的有效性与可靠性进行了全面论证，旨在为交通工程领域提供更符合实际交通状况的跟驰行为描述工具，以提升交通安全与效率。

本书详细描述了跟驰数据的处理方法、模型构建过程以及仿真实验的设计与分析，以期为从事交通流理论研究的科研人员和交通工程技术人员提供理论参考和实践指导。

图书在版编目（CIP）数据

跟驰行为动态特性分析与建模 ：基于车辆轨迹数据 / 焦帅阳主编 ；张蕾，薛丽媛副主编. -- 北京 ：化学工业出版社，2025. 11. -- ISBN 978-7-122-49116-9

Ⅰ. U495

中国国家版本馆 CIP 数据核字第 20252EP772 号

责任编辑：陶艳玲　晏鸿珏　　文字编辑：赵　越
责任校对：李　爽　　装帧设计：刘丽华

出版发行：化学工业出版社（北京市东城区青年湖南街 13 号　邮政编码 100011）
印　　装：北京天宇星印刷厂
710mm×1000mm　1/16　印张 9¾　字数 163 千字
2026 年 1 月北京第 1 版第 1 次印刷

购书咨询：010-64518888　　售后服务：010-64518899
网　　址：http://www.cip.com.cn
凡购买本书，如有缺损质量问题，本社销售中心负责调换。

定　　价：98.00 元

前言

近年来，随着交通数据采集技术的飞速发展，基于实测车辆轨迹数据的跟驰行为研究逐渐成为热点。然而，现有研究在数据预处理的精细化以及多因素耦合跟驰模型的构建方面仍存在不足，未能充分挖掘跟驰行为的复杂动态特性。本书聚焦于跟驰行为的动态特性分析与建模优化，旨在通过实测数据挖掘和多因素耦合建模，为交通流理论的发展提供新的视角和方法。基于跟驰数据的降噪处理、关键参数统计特性分析以及多因素影响下的跟驰模型构建，对于深入理解跟驰行为的内在机制、提升交通流模型的预测精度以及优化交通管控策略具有重要的科学意义和应用价值。

本书共分为 6 章，首先系统介绍了交通流理论的发展历程，回顾了跟驰行为研究的进展，分析了现有研究的不足。然后，聚焦跟驰数据的预处理，提出了数据筛选与降噪方法，并分析了跟驰行为关键参数的统计特征和相关性。其次，分别探讨了车头间距、前车速度以及跟驰临界车头间距阈值对跟驰行为的影响，提出了改进的跟驰模型，并通过仿真实验验证了模型的有效性。再次，从驾驶人碰撞敏感性角度出发，构建了考虑驾驶人特性的跟驰模型，并分析了其对跟驰行为的影响机制。最后，基于机器学习方法，提出了混合驱动的跟驰模型，综合考虑了驾驶人记忆效应和车辆信息互通效应，并从稳定性能、预测性能和安全性能等方面对模型进行了全面评估。

本书详细描述了跟驰数据的处理方法、模型构建过程以及仿真实验的设计与分析，为从事交通流理论研究的科研人员和交通工程技术人员提供了理论参考和实践指导。本书内容基于作者多年的研究成果撰写而成，部分成果已在国内外重要期刊公开发表。在研究过程中，作者得到了长安大学张生瑞教授和周备教授的悉心指导和课题组成员的大力支持，谨向他们致以衷心的感谢。

限于作者的能力和水平，书中难免存在不足之处，敬请读者批评指正。

编者
2025 年 3 月

目录

第 5 章
驾驶人碰撞敏感性对跟驰行为的影响分析

第 6 章
基于机器学习方法的跟驰行为建模分析

第 1 章

绪论

1.1 交通流理论概述

近年来，我国的交通事业得到了快速发展，尤其是在交通强国战略的部署下，交通系统正进行着新一轮的变革，逐渐从追求速度规模向更加注重质量效益转变。2019 年 9 月 19 日，中共中央、国务院印发的《交通强国建设纲要》中更是指出“由依靠传统要素驱动向更加注重创新驱动转变，构建安全、便捷、高效、绿色、经济的现代化综合交通体系……智能、平安、绿色、共享交通发展水平明显提高，城市交通拥堵基本缓解，无障碍出行服务体系基本完善”等关键发展愿景[1]。2023 年 3 月，由交通运输部等部门联合印发的《加快建设交通强国五年行动计划（2023—2027 年）》指出：到 2027 年，党的二十大关于交通运输工作部署得到全面贯彻落实，加快建设交通强国取得阶段性成果，交通运输高质量发展取得新突破，“四个一流”建设成效显著，现代化综合交通运输体系建设取得重大进展，“全国 123 出行交通圈”和“全球 123 快货物流圈”加速构建，有效服务保障全面建设社会主义现代化国家开局起步。这些文件从政策层面给交通科技人员指明了研究的工作方向，即未来的交通发展更加注重利用高新技术提升交通系统的管理和服务水平。

交通系统的快速发展对国民经济的提升起到了重要促进作用，但也引发了一系列负面问题，如交通拥堵、交通事故、能源消耗和尾气排放等。国家统计局和公安部的相关统计数据显示[2,3]，截至 2024 年，我国民用汽车拥有量约为 3.52 亿辆，私人汽车拥有量约为 3.09 亿辆，机动车驾驶员人数约为 5.32 亿人，2015—2024 年的增长如图 1.1 所示。

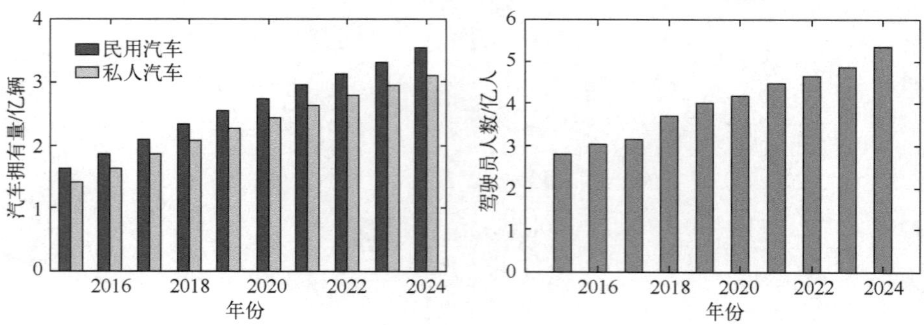

图 1.1 2015—2024 年期间汽车拥有量和驾驶员人数变化趋势

从图 1.1 中可看出，2015—2024 年我国汽车拥有量持续增加，且增加速度非常之快，驾驶员人数也呈现出快速增长的趋势，而车辆和驾驶员数量增加的直接后果则是造成城市交通越来越拥堵。高德地图发布的《2024 年度中国主要城市交通分析报告》显示[4]，同比 2023 年，在高德交通大数据监测的 50 个主要城市中，有 56％的城市路网高峰行程延时指数基本持平，42％的城市拥堵下降。由此可见，全国绝大多数城市在通勤高峰时段基本都面临着交通拥堵问题。

交通拥堵不仅使得人们的出行效率显著降低，而且给社会造成巨大的经济损失。据中国交通运输部发布的数据，由交通拥堵而造成的经济损失约占城市人口可支配收入的 20％，约占每年 GDP 的 5％～8％，可见交通拥堵极其影响我国社会经济的快速发展。

另外，生态环境部宣传教育中心、中国人民大学应用经济学院和滴滴发展研究院联合发布的《数字出行助力碳中和》研究报告中指出[5]：“交通行业二氧化碳排放量占全国总碳排放量的约 10％，其中道路交通在交通全行业碳排放中的占比约 80％，且仍处于快速发展阶段。”从报告中可发现交通行业的碳排放必须引起交通从业者的重视，以降低其对生态环境的影响。

此外，交通系统的快速发展还引发了一些安全问题，例如国家统计局发布的数据显示[2]，2023 年我国因交通事故而造成死亡的人数多达 6 万人，受伤人数多达 25.38 万人，2014—2023 年变化趋势如图 1.2 所示。可以看出，近年来因交通事故而造成的死亡人数和受伤人数依然维持在较高水平，交通系统引发的安全问题不容忽视。根据上述数据可总结出我国交通系统的主要特征：交通参与者基数大、机动车数量多、交通拥堵覆盖范围广、造成的经济损失大、安全水平相对较低。

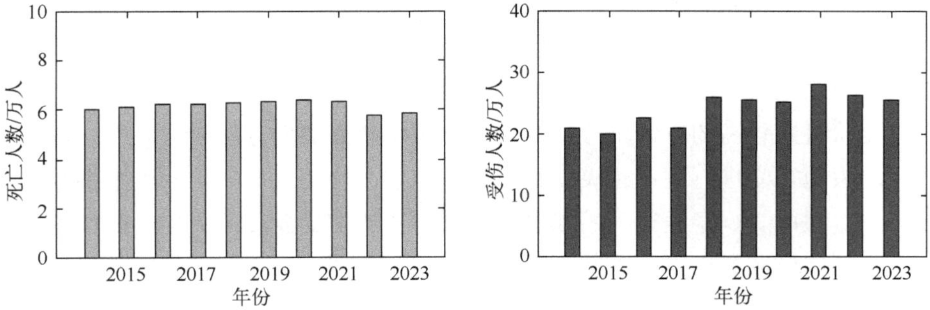

图 1.2　2014—2023 年期间交通事故死亡和受伤人数变化趋势

为克服或缓解交通拥堵及其引发的一系列问题，交通行业的诸多学者从不同的角度对交通系统开展了大量的研究，以求能够充分理解交通系统的运作机理。在已取得的研究成果中，交通流理论是最具代表性的成果之一[6]。因为，交通系统属于动态的复杂系统，主要是指道路上的车辆或行人与道路设施和环境交互运行的动态过程；而交通流理论正是描述以上过程的关键性、基础性理论[7]。因此，对于科研人员来说必须对交通系统进行深入的研究，充分认识和掌握交通系统的运行规律，为提升交通管理能力和服务水平提供坚实的理论基础。

交通流理论是研究特定交通场景中不同交通参与者的行为模式，以及建立相应的时间-空间变化模型的理论体系，例如研究交通系统的宏观交通流特性、微观交通流特性、行人交通流特性、交通仿真等[8,9]。通过对交通流理论的系统研究，可以从本质上理解交通系统出现的一些复杂现象，从而为制定交通管理政策提供依据，最终以期提升交通效率和交通安全，降低能源消耗和尾气排放。

从精细化管理和控制的角度来看，微观交通流特性的研究尤为重要。因为，微观交通流特性的研究重点关注个体出行的行为和特征，只有深刻把握个体出行规律，才能更好地服务于宏观交通调控与管理。例如，以车辆跟驰模型为代表的微观交通流理论，它能够从微观层面描述复杂交通流现象，如交通阻塞、时走时停、交通相位转移等。因此，近年来针对车辆跟驰模型的研究得到了快速发展，并且跟驰理论已经发展为交通流理论的核心内容之一。通过研究微观交通行为可充分理解和掌握交通拥堵、交通事故、能源消耗和尾气排放的影响因素，从而能够制定科学合理的交通诱导策略或管控措施，最终使得交通系统的运行效率得到提升。

因此，本书基于上述现实背景和理论基础，从交通流理论的角度切入，并利用统计学、稳定性理论、机器学习和数值仿真等方法，深入探讨跟驰行为的复杂动态特性及建模方法。此外，为避免脱离实际，选取认可度较高的车辆轨迹数据用于分析和验证提出方法的可靠性。通过对跟驰行为进行理论建模、数值模拟和数据验证等环节，深入挖掘在跟驰过程中影响跟驰行为的因素、微观交通流中交通波的演化规律以及交通拥堵形成的机理，以期为跟驰行为相关的理论研究或工程实践提供新的视角或方法。

1.2
跟驰行为研究进展

1.2.1 跟驰理论发展简介

为探究不同交通流现象的本质规律，揭示常态和非常态交通状态下发生拥堵的内在机理，各国学者在交通流理论方面开展了大量研究。其中，车辆跟驰模型作为描述微观交通流特征的重要方法之一，近 70 年以来一直受到学者们广泛的关注和重视。

车辆跟驰行为研究侧重于从微观角度研究驾驶人和车辆的行为特征，涉及交通工程学、系统工程、心理学、车辆工程、物理学和自动控制等学科的知识，充分理解跟驰行为对交通管理与控制、交通安全、通行能力和服务水平等方面的分析具有重要意义[8]。车辆跟驰行为通常发生于非自由行驶期间，此时由于道路交通密度较大，车辆间车头间距较小，实现车辆换道非常困难，从而导致车辆只能跟车行驶[9]。换言之，跟驰行为多研究非自由行驶条件下的单车道跟车行为，这也是本书开展研究的预设前提。

跟驰行为的研究起步于 20 世纪 50 年代初，之后关于跟驰行为的研究逐渐成为交通流领域的热点课题，尤其是近 10 年来跟驰行为的研究得到了快速发展。从全球学者发表的有关跟驰行为的研究成果数量中可清楚看出（如图 1.3 所示），跟驰理论的发展主要分为三个阶段：初始

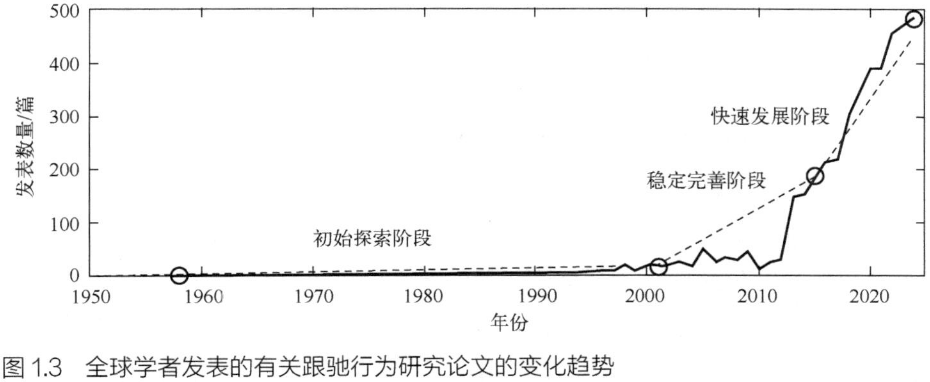

图 1.3 全球学者发表的有关跟驰行为研究论文的变化趋势

数据均来自科睿唯安旗下的 Web of Science 数据库，以主题方式检索，检索式均为：“car following”；检索数据库为 Web of Science 核心集；数据检索时间为 2025 年 3 月 17 日，合计 4166 篇

探索阶段（1950—2001 年）、稳定完善阶段（2001—2015 年）和快速发展阶段（2015 年至今）。

（1）初始探索阶段（1950—2001 年）

Reuschel[10]和 Pipes[11]最早基于动力学理论提出了车辆跟驰概念，并从理论角度分析了跟驰行驶车队的交通流特性。早期跟驰模型的研究主要集中于 Pipes 模型（1953）和 GM 模型（1961），Pipes 模型建立的基本假设为安全距离约束[11]，GM 模型建立的基本假设为驾驶人存在刺激反应过程[12]。随后，学者们基于安全车头间距、驾驶人心理生理、期望车头间距等假设建立多种经典跟驰模型，如 Wiedemann 心理-生理模型（1974）[13]、Gipps 安全距离模型（1981）[14]、优化速度模型（1995）[15]、全速差模型（2001）[16]，其中全速差模型成为统计物理角度下的经典跟驰模型。此外，不同于上述建模逻辑，Nagel 等基于元胞自动机理论构建了跟驰模型，开拓了跟驰行为研究视角[17]；Kikuchi 等最早从人工智能角度建立模糊逻辑跟驰模型，其开创了人工智能理论运用到跟驰行为研究领域的先河[18]；Treiber 等建立适用于智能车辆的跟驰模型，该模型截至今日尚还被学者们广泛使用[19]。

综上可知，在初始探索阶段多以理论研究为主，主要是通过数值仿真来研究车辆跟驰行为的基本特性和规律。其建模逻辑多是从驾驶人或车辆的角度，并基于动力学或心理学理论建立微分方程以描述跟驰特性，也有部分学者运用人工智能理论构建跟驰模型。此外，学者们对基于微分方程的跟驰模型的稳定性也开展了深入的研究，主要侧重于局部稳定性和渐进稳定性。虽然该时期学者们对于跟驰行为的研究尚不充分，但跟驰理论的基本框架与模型已初步形成，许多模型成为后期跟驰理论研究的关键基础[20-22]。

（2）稳定完善阶段（2001—2015 年）

该阶段跟驰理论的研究成果得到极大丰富，主要集中在模型考虑因素更加全面、模型结构更加复杂、模型分类体系逐渐明晰、微观行为与宏观现象统一验证、数据驱动模型逐渐增多、稳定性分析理论日益成熟及跟驰数据采集技术显著提升等方面，这为当前深入且系统地研究跟驰行为提供了可靠的理论基础。在构建模型方面，张智勇等[23]于 2004 年将跟驰模型分为五类：GM 模型、线性模型、生理-心理模型、基于模糊推理的跟车模型和安全距离模型，并指出我国在跟驰理论研究方面尚未形成体系，需要更加系统地深入研究。2012 年，王殿海等[24]在跟驰理论发展 60 年之际对车辆跟驰行为建模进行了系统性的回顾和展望，他们将过去 60 年来提出的跟驰模型分为两大类，一类是基于交通工程理论的建模逻辑，另一类则是基于统计物理理论的建模逻辑，但这些模型主要还是从理论角度出发建模的，基于数据特征的跟驰模型还较少。随后，Li 等[25]、Saifuzzaman 等[26]及 Aghabayk 等[27]也较为全面地梳理了已有的经典跟驰模型，主要包含 GM 模型、GHR 模型及其拓展模型、Newell 模型及其拓展模型、优化速度模型及其拓展模型、模糊逻辑模型、安全距离或碰撞避免模型、期望距离模型、生理-心理模型、智能驾驶模型和元胞自动机模型，可以发现他们总结的经典跟驰模型与王殿海等[24]提出的跟驰模型分类基本一致（见图 1.4），说明这一时期跟驰模型的发展已处于稳定完善阶段。

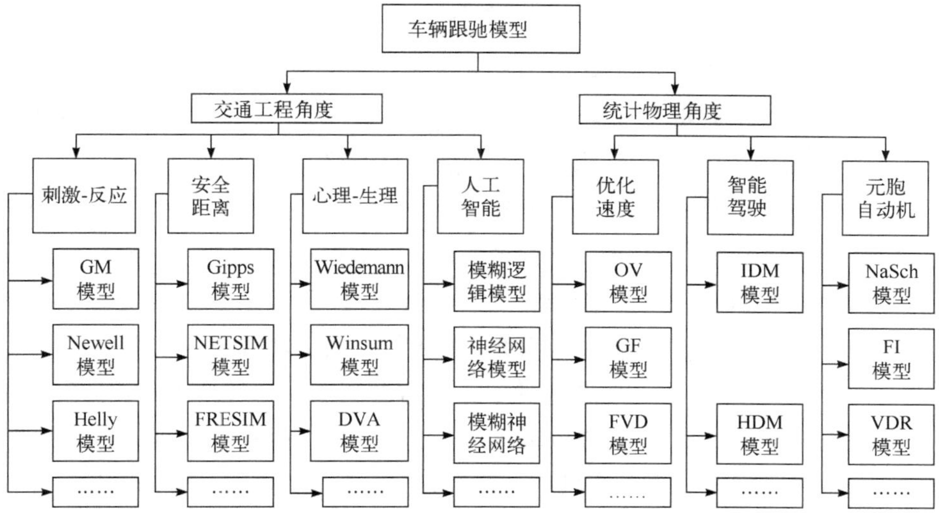

图 1.4　王殿海等梳理的基于建模思想的跟驰模型分类[24]

通过回顾跟驰理论稳定完善阶段（2001—2015 年）的相关研究成果可知，该阶段的跟驰模型从建模思想角度可分为交通工程角度和统计物理角度，或者为理论驱动模型和数据驱动模型，但这一时期理论驱动模型明显占据绝对地位，数据驱动模型的优势并未被完全挖掘出来，跟驰行为研究发展历程如图 1.5 所示[28]。

总体来看，此时的跟驰模型大致可分为 7 类：刺激-反应类模型、安全距离模型、生理-心理模型、优化速度模型、智能驾驶模型、元胞

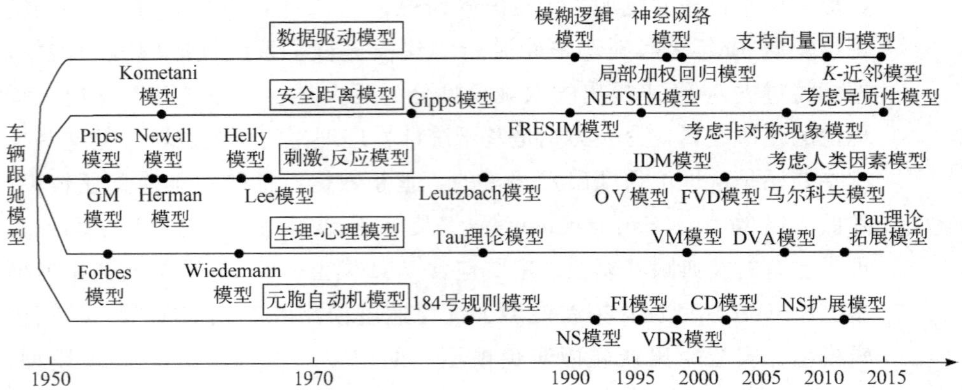

图 1.5　杨龙海等梳理的跟驰行为研究发展历程[28]

自动机模型和人工智能模型。这些模型分类基本成为跟驰领域的研究分支，为丰富跟驰理论奠定了可靠的理论基础。

(3) 快速发展阶段（2015 年至今）

随着大数据技术逐渐成熟及其在智能交通系统的大量应用，学者们能够采用不同传感器收集的数据来研究跟驰行为，这使得跟驰理论得到了进一步的快速发展[29,30]。这一时期的研究工作主要包含：理论驱动模型的完善[28]、数据驱动模型的构建及数据采集方法的创新[31,32]、自适应巡航控制跟驰模型构建[33]、混合交通流跟驰模型的构建、参数标定与仿真分析[34-36]、跟驰模型的稳定性分析方法及其应用等[37]。杨龙海等[28]在跟驰理论发展 70 年之际系统地总结了跟驰行为研究的发展历程（见图 1.5），并将跟驰模型分为理论驱动模型和数据驱动模型两类，他们将理论驱动类的跟驰行为研究方向分为人类因素、基础设施、交通信息、异质交通流和新建模型理论，将数据驱动类的研究方向分为模糊逻辑类、人工神经网络类、实例学习类、支持向量机回归和深度学习算法类，这些分类基本涵盖了当前主流的研究方向。

随后由于数据驱动跟驰模型的快速发展，贺正冰等[32]单独对数据驱动模型进行了回顾与展望，他们从数据驱动模型的方法论、数据源、模型的输入与输出和模型的测试与验证等方面系统阐述了数据驱动模型的发展历程和优缺点；此外，通过回顾人工智能理论在跟驰理论的应用，贺正冰等[32]指出基于传统机器学习理论的跟驰模型、基于深度学习的跟驰模型和理论与数据混合驱动的跟驰模型是当前的主流建模思想，并且指出当前数据驱动模型主要存在测试不充分、对比不完整及缺少统一的测试集和测试标准三个主要问题，同时他们指出未来通过建立混合驱动模型可能兼顾理论驱动模型和数据驱动模型各自的优势。

总体来说，在跟驰理论快速发展阶段（2015 年至今），跟驰行为建模逐渐突破传统模型框架的限制，新建模型不仅关注驾驶人与车辆的交互作用，而且开始重视人工智能理论在跟驰模型中的应用，并且依托于大量的驾驶行为数据和车辆轨迹数据挖掘跟驰特征，同时也将人工驾驶车辆与自动驾驶车辆组成的混合跟驰行为纳入其中，形成了新时期的跟驰行为建模架构，极大地丰富了跟驰理论体系。

1.2.2 优化速度跟驰模型研究进展

(1) 早期的优化速度模型发展

根据已有的综述性研究成果可知[20-28,32-37]，理论驱动类跟驰模型主要包含刺激-反应模型、安全距离模型、生理-心理模型、智能驾驶模型和优化速度跟驰模型。其中，优化速度模型由于结构简单直观，且模型方程中不包含反应延迟时间，非常便于利用数值仿真探讨实际交通场景中复杂的交通流现象以及稳定性分析；所以，自从 Bando 等提出优化速度模型后便受到广泛的重视，尤其是在交通物理学界更是受到大量关注和研究[8,15]。因此，本书关注的重点为优化速度跟驰模型，以期通过分析真实的车辆轨迹数据建立更加可靠的优化速度跟驰模型。

在过去数十年的研究历程中，优化速度跟驰车速模型被众多学者研究和发展。在该类模型早期的基础理论研究中，于 1995 年，Bando 等[15]最先提出了优化速度（Optimal Velocity，OV）模型的原型，该模型的数学方程如式（1.1）所示：

$$\frac{\mathrm{d}v_n(t)}{\mathrm{d}t}=k\left[V(\Delta x(t))-v_n(t)\right] \tag{1.1}$$

式中，t 为车辆的运动时间；$v_n(t)$ 为跟驰车的速度；k 为敏感系数；$\Delta x(t)$ 为车头间距；$V(\Delta x(t))$ 为优化速度函数。

对于优化速度模型，Bando 等认为每辆车均存在一个与紧邻前车车头间距相关的最优跟驰速度。当跟驰车和前导车的车头间距缩小时，跟驰车的驾驶人必须将车速降低至足以防止与前导车碰撞的水平；当车头间距增大时，跟驰车可以在有限的速度区间内逐渐提升车速。也就是说，最优跟驰速度是关于车头间距的函数，用来描述前导车对跟驰车的刺激，称为优化速度函数（Optimal Velocity Function）。

1998 年，Helbing 等[38]利用真实交通数据对 OV 模型进行验证后发现，其模拟的车辆易出现加速度过大或减速度不切实际等现象，他们通过分析发现当前导车速度小于后车时，需要在模型中考虑速度差的影响；于是，他们在 OV 模型中添加了速度差项，并利用单位跃阶函数来区分前导车速度小于后车时速度差效应，他们将改进后的模型称为广义力（General Force，GF）模型，该模型如式（1.2）所示：

$$\frac{\mathrm{d}v_n(t)}{\mathrm{d}t}=k\left[V(\Delta x(t))-v_n(t)\right]+\lambda H(-\Delta v(t))\Delta v(t) \quad (1.2)$$

式中，$H(\cdot)$ 为单位阶跃函数（Heaviside Step Function）；λ 为敏感系数；Δv 为速度差。

$$H(x)=\begin{cases}0, & x\leqslant 0\\ 1, & x>0\end{cases} \quad (1.3)$$

2001 年，Jiang 等[16]利用 GF 模型模拟分析了车辆在交叉口的启动过程，结果表明 GF 模型模拟车流启动的波速过小，与实际相差较大，他们进一步分析发现不仅前导车速度小于后车时需要考虑速度差的影响，而且当前导车速度大于后车时同样需要考虑速度差的效应。鉴于此，他们提出了考虑更为全面的全速差（Full Velocity Difference，FVD）模型，该模型的数学方程如式（1.4）所示：

$$\frac{\mathrm{d}v_n(t)}{\mathrm{d}t}=k\left[V(\Delta x(t))-v_n(t)\right]+\lambda\Delta v(t) \quad (1.4)$$

至此，OV 模型、GF 模型和 FVD 模型成为优化速度跟驰模型的三大奠基性基础模型，尤其是 OV 模型和 FVD 模型被大量的学者研究并对其进行拓展优化，得到了诸多研究成果。通过观察上述模型可发现优化速度模型具备的共同特征是均包含优化速度函数，该函数对于模型的动态性能和稳定性至关重要。Newell[39]较早地提出一种优化速度函数，该函数与车辆最大速度和车头间距密切相关，方程如式（1.5）所示；Bando 等[15]则假设优化速度函数应具备以下特性：①它是单调递增的函数；② $|V(\Delta x(t))|$ 存在上界，$V^{\max}\equiv V(\Delta x_n(t)\rightarrow\infty)$，其数学方程如式（1.6）所示。Helbing 等[38]利用实测数据对 Bando 等提出的优化速度函数进行参数标定后，得到了一种至今被广泛使用的优化速度函数，如式（1.7）所示。可以看出，优化速度函数同样也是学者们研究的热点内容之一，且这些优化速度函数多为通过数值仿真验证，缺乏大

量的实测数据校正，这是需要深入研究的内容之一。

$$V(\Delta x(t))=v_{\max}-v_{\max}\exp\left[-\frac{c}{v_{\max}}(\Delta x(t)-d_n)\right] \tag{1.5}$$

式中，$v_{\max}$ 为自由流车速；c 为 $v_n(t)=0$ 时的斜率；d_n 为跟驰车的最小车头间距。

$$V(\Delta x(t))=\frac{v_{\max}}{2}\left[\tanh(\Delta x(t)-h_c)+\tanh(h_c)\right] \tag{1.6}$$

式中，h_c 为车辆间的安全距离。

$$V(\Delta x(t))=V_1+V_2\tanh\left[C_1(\Delta x(t)-l_c)-C_2\right] \tag{1.7}$$

式中，l_c 表示车辆的长度；V_1、V_2、C_1 和 C_2 是待标定的参数。

综合来看，在早期的优化速度模型发展过程中，已经基本形成了以OV模型和FVD模型为基础模型的局面，后来诸多学者建立的模型基本是它们的拓展形式，不同之处在于考虑影响因素更多、仿真场景更全、模型校准数据质量更高等。因此，下文主要从基于OV模型和FVD模型的拓展研究展开综述，并对现有的研究成果总结梳理，以期确立研究的突破方向。

（2）基于OV模型的相关研究

OV模型是最早的优化速度模型，自从Bando等提出该模型后[15]，学者们通过考虑不同的影响因素对OV模型进行拓展研究，这些因素主要包含延迟效应、多前车信息、预测（记忆）效应、安全距离（车头间距）、后视效应等。他们将这些因素引入OV模型中，并利用稳定性理论、数值模拟的方法对提出的模型进行验证分析，得到了诸多具有重要理论价值的研究结果。

在考虑延迟效应的研究中，主要可以分为驾驶人的反应延迟和车辆的机械延迟两部分，当前的研究多关注于驾驶人的反应延迟，如Yu等[40]认为驾驶人由于无法时刻及时地感知车头间距变化而存在延迟现象，因此他们在OV模型的优化速度函数中的车头间距里添加了延迟项，以表征驾驶人的反应延迟。Davis[41]的研究则揭示出驾驶人的反应延迟是造成交通拥堵的重要原因，他依据驾驶人在不同交通情况下反应延迟不同的特性对优化速度函数进行了修改以提升模型精度。除了这些研究，其他的研究也对延迟效应进行了探讨，但大多均局限于驾驶人的反应延迟，且多利用仿真方法验证。在此基础上，部分学者指出驾驶人不仅对紧邻前车存在延迟效应或其他的反应，而且还受到多前车或后车的影响。例如，Chen 等[42]认为真实驾驶环境中驾驶人不仅尝试将车速调至最佳速度，而且还希望与前车保持期望的距离，因此他们基于先前的多预期模型并考虑多前车的车头间距影响建立了新模型，结果表明他们的模型能够在较大的反应延迟下稳定交通流。此后，也有学者[43]证实了多前车的平均速度对跟驰行为也具有重要影响。随着研究的深入，一些学者认为驾驶人对交通状况具有记忆或预测能力，可以根据历史信息对未来的状态进行预判；因此，Tang 等[44]较早地利用跟驰模型研究了驾驶人的预测效应对交通流稳定性的影响，而 Peng[45]则分析了驾驶人感知交通中断概率的预期效应对跟驰行为的影响，Sun 等[46]基于 OV 模型探讨了驾驶人的记忆效应与跟驰行为之间的联系，他们的结果均表明驾驶人的预测（记忆）效应对交通流的稳定性具有重要影响，但他们均是通过数值模拟的方法验证并获取的结果。

随着研究推进，部分学者探讨了混合交通流下的跟驰行为。Jin 等[47]讨论了时延反馈控制策略在 OV 模型中的应用，他们基于该策略设计了控制器并通过数值仿真分析了应用效果，结果表明该策略可有效抑制交通阻塞的传播；王昊等[48]则选用 OV 模型充当普通车，智能驾驶模型充当网联车研究了混合交通流，并求解了混合交通流渐进稳定性的解析解。然而，亦有部分学者认为当前乃至未来一段时期内交通流主要以人工车辆为主，因此他们更多还是从驾驶人的角度研究跟驰行为。例如，Ge 等[49-51]讨论了速度差、后视效应、电子节气门动力学对跟驰行为的影响，他们通过数值仿真的方法分析了这些因素对跟驰过程中的交通流稳定性的影响机理。然而，Zheng 等[52]认为驾驶人在不同交通状况下对安全距离的感知存在差异性，因此他们基于 OV 模型考虑了可变安全距离的影响，并分析了可变安全距离对跟驰行为的影响。Xu 等[53]则将跟驰行为的非对称性考虑在 OV 模型中，并设计仿真实验分析了非对称性如何影响跟驰行为。除此之外，Lai 等[54]发现驾驶人对距离感知的个体差异对交通流的稳定性具有重要影响，因此他们向 OV 模型中引入了个体差异因素，结果表明交通拥堵的不稳定性是由驾驶人感知距离的整体分布所决定的，而不是车辆的空间排序。Yang 等[55]则另辟蹊径地使用 OV 模型研究了混有货车的车队跟驰行为，他们发现汽车和卡车的比例是影响交通系统稳定性的重要指标，此外异质交通流的密度和模型参数也是影响稳定性的重要因素。

除了以上研究，Wang 等[56]研究了邻近车道行人对车辆跟驰行为的影响，并利用稳定性理论分析了模型的线性和非线性稳定性，结果表明在 OV 模型中考虑邻近车道行人刺激后，拓展模型可有效地表征行人和车辆混合情况下的跟驰行为。相似于上述研究，Zhai 等[57]和 Cheng 等[58]研究了交通拥堵效应对跟驰行为的影响，他们的结果表明在 OV 模型中考虑驾驶人对交通拥堵的预期可显著提升交通流的稳定性。Guan 等[59]则通过向 OV 模型中同时引入驾驶人预期时间和响应时间延迟的反馈控制来研究其对交通流的影响，稳定性和分岔分析及仿真结果表明该控制器在不改变平衡点的情况下可以有效地抑制交通拥堵，并显著提高交通效率和交通稳定性。

综上所述，在基于 OV 模型的研究中，其建模思路多是在 OV 模型的基础上引入其他影响因素，然后利用稳定性理论求解模型的稳定性解析解，以探讨考虑因素对模型稳定性的影响规律。此外还通过数值模拟的方法设计不同的场景验证模型的性能，基于 OV 模型的拓展研究考虑因素简要总结如表 1.1 所示。

表 1.1　基于 OV 模型的拓展研究考虑影响因素的简要总结

序号	影响因素	研究方法	数量
1	延迟效应、多前车信息、预测（记忆）效应、反馈控制	数值仿真为主	较多
2	智能网联、安全间距（车头间距）、速度差、最佳速度	数值仿真为主	中等
3	后视效应、非对称性、交通条件、电子节气门、个体差异	数值仿真为主	较少

（3）基于 FVD 模型的相关研究

相比于 OV 模型，基于 FVD 模型的拓展研究较为广泛，主要是由于 FVD 模型结构较为直观简单，且在不增加求解模型中性稳定解析解难度的情况下，非常便于在模型中引入其他影响因素，如延迟效应、多前车信息、速度差、加速度差、车头间距、道路条件、非对称性等等。该类研究中同样存在与 OV 模型拓展研究相似的路线，即多是向模型中引入特定影响因素后采用稳定性理论分析模型的线性和非线性稳定性，然后通过数值仿真探讨特定因素对跟驰行为的影响机制。总而言之，这些研究获得的结果对于深入理解跟驰行为具有非常重要的意义，故需对其相关研究进行回顾和总结。

在 FVD 模型的拓展研究中，延迟效应同样备受学者们关注。例如，Zhou 等[60]较早地基于 FVD 模型考虑了驾驶人反应延迟对跟驰行为的影响，他们发现驾驶人反应延迟时间的增加导致了不切实际的交通现象和不稳定的交通流。Liu 等[61]提出了基于双速控制和具有时变时间延迟的离散时间合作驾驶系统的跟驰模型，结果表明如果由于延迟而导致驾驶人不能及时获得交通信息，那么交通拥堵的程度将会加剧，延迟效应不容忽视。Hu 等[62]人不仅考虑了驾驶人的反应延迟时间，而且还同时考虑多前车速度差对跟驰行为的影响，结果表明驾驶人的反应延迟和多前车速度差信息对模型的稳定性均具有重要影响，通过引入多前车速度差信息或减少延迟时间，交通流的稳定性得到加强。彭勇等[63]则考虑驾驶人视野内前后多车信息对跟驰行为的影响，他们指出改进模型可更有效地抑制交通拥堵和稳定交通流。宗芳等[64]则是基于 FVD 模型研究了混有网联自动驾驶车辆的交通流，他们同样认为前后多车的信息对车辆跟驰行为具有重要影响，并通过仿真实验验证了初始假设。此外，Guo 等[65]研究了协同自适应巡航控制策略中使用的多前车速度变化趋势对交通流的动态特性、燃油经济性和排放的影响，他们基于实测数据分析了速度波动反馈与跟驰行为之间的关系，并改进 FVD 模型，仿真结果表明在协同自适应巡航控制策略中考虑多前车的速度波动反馈可改善道路交通的稳定性、燃油经济性和尾气排放性能。进一步，Yu 等[66-69]深入系统地探讨了速度差对跟驰行为的影响机制，他们分析了紧邻前车速度差、紧邻前车速度波动、相对速度差、相对速度波动等因素如何影响交通流的稳定性，这些结果充分证实速度差是影响跟驰行为的一项重要指标。

随着车车通信技术的日益成熟，领域内一些学者开始探讨智能交通系统对跟驰行为产生的影响。Tang 等较早地认识到车车通信技术可能重塑传统的车辆跟驰行为，他们先是讨论了考虑车车通信后跟驰模型的性能变化，结果表明新模型能够克服 FVD 模型在事故下发生碰撞的不足[70]；随后，他们进一步讨论了车车通信技术可靠性对交通流的影响，仿真结果表明随着可靠性的增加，模拟车辆的机动性、燃油经济性和尾气排放性能得到同步提升[71]。Zhao 等[72]则基于 FVD 模型探讨了在车车通信环境下速度引导策略如何影响交叉口车流的运行效率，仿真结果表明通过延长引导空间范围和增加最大速度限制，可以提高引导策略的效益，在中低交通密度和较小安全距离条件下，引导策略更适合。秦严严等[73]和王祺等[74]则基于 FVD 模型分别研究了智能网联车辆和协同自适应巡航车辆对交通流的影响，但其均是以 FVD 模型模拟人工驾驶车辆。通过这些研究可以发现 FVD 模型在分析智能交通系统下的交通流时具有较强的实用性，对于分析混合交通流具有重要的支撑作用。

安全距离（车头间距）、后视效应、最佳速度、道路条件等因素同样是学者们较为关注的影响因素，相关的研究成果颇为丰富。例如，Yu 等[75]较早地探讨了车头间距波动对跟驰行为的影响；而 Kuang 等[76]则是将平均车头间距引入跟驰模型中，他们发现新模型可以有效地抑制交通阻塞；Wang 等[77]认为在跟驰模型中考虑随机安全距离更能复现真实的交通流现象；Ma 等[78]则表明驾驶人对车头间距的记忆及后视效应共同影响着跟驰行为，他们的研究结果均表明安全距离（车头间距）对交通流的稳定性起到重要作用。此外，在 FVD 模型的拓展研究中，Sun 等[79]较早地研究了驾驶人的后视效应对跟驰行为的影响，随后 Ma 等[80,81]在此基础上分别又引入时延速度差、自动驾驶车辆因素，进一步分析它们与后视效应组合后的影响。对于最佳速度（优化速度），Peng 等[82,83]发现考虑最佳速度差和驾驶人对最佳速度变化的记忆后可显著提升交通流的稳定性，Yan 等[84]的研究中进一步证实考虑最佳速度差确实能够提升模型的动态性能和交通流稳定性。道路条件对跟驰行为的影响也得到充分研究，Tang 等[85,86]研究了不同的道路条件及实时道路条件反馈对跟驰行为的影响，Sun 等[87]则研究了曲线道路条件下的跟驰行为，这些研究均表明道路条件信息是制约跟驰模型稳定性的重要影响因素之一，如果能实时了解道路条件，那么交通流的稳定性将得到较大的提升。

除上述研究之外，一些学者对驾驶人的预测效应、加速度、风险偏好、分岔分析、电子节气门动力学等对跟驰行为的影响也非常重视。例如，Zhou 等[88]的研究表明驾驶人的预测能力与交通流的稳定性正相关，Zhang 等[89]的研究同样发现驾驶人的预测效应对改善交通流起到较为积极的作用。关于加速度对跟驰行为的影响，Yu 等[90]通过向 FVD 模型中引入前车加速度后进行数值仿真，结果表明新模型可以稳定交通流、抑制交通堵塞和提高通行能力。Li 等[91]则通过分析实测数据发现在没有安全信息的情况下，跟驰行为的主导因素是车速，而在收到警告信息时，前车和后车的速度差成为主导因素，基于此他们改进了 FVD 模型。对于分岔分析，一般是求得分岔的临界点解析解并观察其是否位于稳定区域，从而判断某因素对跟驰行为的影响趋势，Ngoduy 等[92]和 Ren 等[93,94]对此开展了较为深入的分析，他们指出当分岔临界点被选为密度演化的初始点时，交通流中会出现明显的周期性振荡。电子节气门动力学对跟驰行为的影响是近些年逐渐兴起的课题，Li 等[95]和 Sun 等[96]分别研究了网联环境下和曲线道路条件下该因素如何影响跟驰行为，这为研究跟驰行为提供了新的视角。

值得注意的是，学者们也对部分“非主要”因素展开研究，如 Malenje 等[97]探讨了非法过街行人对交叉口跟驰行为的影响；Tang 等[98]考虑了交通中断概率对跟驰行为的影响；Li 等[99]则认为车辆行驶阻力会影响交通流的稳定性；Jin 等[100]指出侧向干扰对跟驰行为影响较大，随着侧向干扰的加剧，交通拥堵随之严重；Zhou 等[101]分析了驾驶人的可视范围对跟驰条件下交通流稳定性的影响；Jiang 等[102]指出邻近车道的车辆类型显著影响主车道的车辆跟驰行为；Tang 等[103]探讨了电动车的驾驶范围与跟驰行为之间的关系，并通过数值仿真的方法验证了建立的模型；随后，Tang 等[104]进一步基于 FVD 模型分析了驾驶人的有限理性对出行成本的影响，他们指出考虑驾驶人的有界理性将提高个体出行成本和系统的总成本；Kuang 等[105]认为汽车的鸣笛效应可能影响跟驰行为，并将该因素引入 FVD 模型中；此外，Zhang 等[106]和 Tan 等[107]分别将汽车的尾灯效应和不利天气条件引入跟驰模型，并从理论上分析了它们与跟驰行为之间的关系。

通过回顾以上研究可发现学者们对于跟驰行为的研究是非常多样化的，考虑的因素较多且全面，但也存在明显的不足，即每个模型考虑的因素有限，导致不同学者提出的跟驰模型适用条件不同，从而使得各个模型之间的一致性无法得到保证。但是，换个角度来看，这些研究虽然独立，但其能帮助后来学者深刻理解各个因素是如何影响跟驰行为及交通流稳定性的，且具有较大的理论意义和实践指导作用。基于 FVD 模型的拓展研究考虑影响因素的简要总结如表 1.2 所示。

表 1.2　基于 FVD 模型的拓展研究考虑影响因素的简要总结

序号	影响因素	研究方法	数量
1	延迟效应、多前车信息、速度差、智能网联环境（车车通信）、后视效应、安全距离（车头间距）、道路条件、最佳速度、预测效应	数值仿真为主	较多
2	加速度差、平均速度、交通阻塞、反馈控制、记忆效应、非对称性、风险偏好、分岔分析、电子节气门	数值仿真为主	中等
3	行人影响、个体差异、交通中断概率、侧向影响、可视范围、有限理性、尾灯效应、鸣笛效应、不利天气、电动车驾驶范围、车辆行驶阻力	数值仿真为主	较少

1.2.3 数据驱动跟驰模型研究进展

(1) 数据驱动跟驰模型的相关研究

随着人工智能理论与技术的快速发展，跟驰行为的研究也由基于理论的视角逐渐拓展到基于理论与数据并重的视角。例如王雪松等[108,109]基于上海自然驾驶研究项目采集的快速路和高速数据分别标定了若干经典的跟驰模型，他们发现 FVD 模型更适合于模拟快速路跟驰行为，智能驾驶模型更适合于高速公路跟驰行为；一些学者也超前地开展实车试验研究自动驾驶与人工驾驶车辆混合下的跟驰行为，通过采集的数据对跟驰行为理论进行更新[110]。也正是由于跟驰数据获取变得容易，数据驱动的跟驰模型得到非常快的发展，从贺正冰等[32]梳理的数据驱动跟驰模型 20 余年来的发展可见一斑。

根据贺正冰等[32]对数据驱动跟驰模型的定义可知："数据驱动跟驰模型，是以真实的车辆行驶数据为基础，利用数据科学与机器学习等理论和方法，通过样本数据的训练、学习、迭代、进化，挖掘车辆跟驰行为的内在规律。"模糊推理系统是较早应用于跟驰领域的理论之一[18]，研究表明基于模糊推理系统建立的跟驰模型相比 Gipps 模型精度较好[111]。人工神经网络（ANN）也是较为常用的建模方法之一，Kehtarnavaz 等[112]的研究表明采用 ANN 控制自动车辆跟驰行驶是可行的；Colombaroni 等[113]基于实测车辆轨迹数据应用 ANN 模拟车辆的跟驰行为，结果表明 ANN 能够较好地复现真实的跟驰特征。随着神经网络理论的不断发展，部分学者发现递归神经网络用于研究跟驰行为具有较好的效果，如 Hua[114]发现基于递归神经网络（RNN）的跟驰模型，能够有效地描述车辆行驶过程中的状态变化和道路交通拥堵情况。随后，有学者发现循环神经网络模型在对长时间序列数据进行预测时，随着时间跨度的增加可能会出现梯度消失和梯度爆炸的现象，而长短期记忆神经网络模型可有效解决循环神经网络对时序数据短期依赖的问题。于是 Huang 等[115]和 Lin 等[116]基于长短期记忆神经网络研究了跟驰条件下的非对称性行为和车队轨迹生成问题，孙倩等[117]也基于长短期记忆神经网络建立了新的跟驰模型，这些结果均表明长短期记忆神经网络在描述跟驰行为时具有非常明显的优势，这与其适用于处理长时间序列数据的优势密不可分。此后，有学者基于 RNN 和 LSTM 神经网络开发出门控循环单元网络（GRU），该网络相比于前者具有收敛速度快、可加速试验进程等优点，受到各个领域的广泛关注。李林波等[118]的研究表明基于门控循环单元网络的跟驰模型可很好地拟合真实数据和模拟驾驶行为的异质性。这些研究充分说明基于神经网络的模型在跟驰行为研究方面具有非常大的优势，为建立更准确的模型提供了很好的基础。

近些年，由于深度学习技术的迅猛发展，其在交通领域也得到了广泛的应用和发展。例如，Wang 等[119]较早地将深度学习技术应用于探讨跟驰行为，结果表明深度学习模型的模拟精度显著好于现有的传统跟驰模型；Wu 等[120]通过结合多个深度神经网络结构来模拟真实驾驶人的记忆、注意力和预测机制，他们发现新建模型可以产生与真实交通状况相似的时空图。然而，最近有学者发现若将基于马尔科夫决策过程的强化学习与深度神经网络结合，可使新模型具备强大的特征提取能力和决策优势，该方法称为深度强化学习[121]。Zhu 等[122]和 Zhou 等[123]均基于深度强化学习分别建立了跟驰模型，他们通过不同的数据集对模型进行训练，然后将模型的预测结果与一些经典的神经网络模型、传统的跟驰模型的结果进行对比，发现深度强化学习的性能较好，可较为准确地再现真实的跟驰行为。当然，亦有学者将更强更新的生成对抗网络应用于研究跟驰行为，梁军等[124]基于该网络建立新的跟驰模型，通过生成模型提取跟驰过程中的速度和车头间距等信息，然后利用辨别模型对生成模型生成的加速度信息进行相似度计算，并根据选定的更新函数加以更新，他们的试验结果表明生成对抗网络跟驰模型可以提升车队稳定性。

除上述较为热门的研究方法外，一些经典的传统数据驱动方法依然受到部分学者的关注。如 He 等[125]认为驾驶人在相似的跟驰环境下会表现出较为一致的行为，因此他们基于 K-近邻算法对 NGSIM 数据集中的跟驰数据进行挖掘，并建立了新的跟驰模型。结果表明该模型能够很好地复制从前兆阶段到衰减阶段的周期性交通振荡，并且模拟场景的基本图与经验基本图相吻合，说明该模型能够很好地再现实测数据所包含的交通特征。而张兰芳等[126]则是基于支持向量回归，建立考虑驾驶行为约束条件的改进跟驰模型，他们通过实测城市地下快速路数据验证发现该模型具备较好的精度，且模型的可移植性较好。此外，还有学者基于贝叶斯网络[127]、粗糙集理论[128]等建立用于描述跟驰行为的模型，虽然这些方法的应用效果还有待更多的研究来验证，但他们为后来学者研究跟驰行为提供了新的视角和新的可能。

综上所述，数据驱动跟驰模型是近几年以来非常热门的研究方向，诸多学者基于现有的人工智能技术应用到跟驰领域，均取得了不错的效果。但正如贺正冰等[32]指出的，如何精准地选取模型输入输出变量、如何有效地对比分析、如何统一模型测试和验证标准是当前数据驱动类模型发展所面临的重要挑战，因此未来的研究需尤其重视这些问题。数据驱动跟驰模型相关研究的简要总结如表 1.3 所示。

表 1.3 数据驱动跟驰模型相关研究的简要总结

序号	研究方法	数据集	数量
1	长短期记忆神经网络（LSTM）、深度学习（DL）、人工神经网络（ANN）、模糊推理系统（FIS）	NGSIM 数据集	较多
2	深度强化学习（DRL）、支持向量机回归（SVMR）、卷积神经网络（CNN）、递归神经网络（RNN）	自采真实数据	中等
3	对抗神经网络（GAN）、门控循环单元网络（GRU）、K-近邻算法（K-NN）、Copula-贝叶斯网络（Copula-Bayesian Network）、粗糙集理论（Rough Set Theory）	仿真生成数据	较少

（2）混合驱动跟驰模型的相关研究

混合驱动模型的发展得益于组合预测理论，常规的混合驱动模型多是将两种方法组合并选择合适的权重系数进行预测和对比分析，组合预测结果往往优于单独任意一种方法的预测效果[129]。在跟驰行为研究领域内同样有学者采用组合预测理论开展研究。

一类是将传统的跟驰模型与人工智能方法或优化算法结合，建立新的混合驱动模型。例如丁点点等[130]基于 Gipps 模型和反向传播（BP）神经网络模型建立了线性组合的跟驰模型。Yang 等[131]将反向传播神经网络模型和随机森林模型分别与 Gipps 模型进行组合，提出了两种组合跟驰模型用于对比分析模型性能。罗颖等[132]基于智能驾驶模型（IDM）和径向基函数神经网络模型建立了组合型的车辆低速跟驰模型。Chen 等[133]基于实测数据提出一种长短期驾驶模型，并将该模型分别集成至 IDM 和 Gipps 模型，研究结果表明集成模型相比传统模型能够更好地刻画跟驰行为；该模型的特别之处在于并不是直接采用线性组合预测方法，而是将考虑驾驶人特性的长短期驾驶模型融入传统的跟驰模型中。Ma 等[134]考虑到驾驶人的多步骤决策过程，提出了一种基于序列到序列（seq2seq）学习的跟驰模型，与 IDM 和 LSTM 神经网络模型进行比较，结果表明所提出的模型在再现轨迹和捕捉异质性驾驶行为方面优于其他模型，并且可以很好地再现不同程度的滞后现象。

另一类则是选择人工智能方法和优化算法结合，而不考虑传统的跟驰模型。例如，徐学明等[135]较早地将 BP 神经网络和径向基（RBF）神经网络组合建立混合驱动跟驰模型，他们通过实测数据训练模型后预测跟驰行为，结果表明混合模型的精度显著优于单一模型。Wan 等[136]基于马尔科夫链预测器和最大似然运动预测器且运用启发式方法将这两种方法进行组合，提出了对前车运动的概率预测和对自我车辆的运动控制的方法。Tang 等[137]将马尔科夫理论与门控循环单元网络（GRU）结合建立新模型，然后使用 NGSIM 数据训练模型，结果表明耦合后的模型具有较高的精度，并且能提高模拟车辆轨迹的稳定性。Pop 等[138]将 Takagi-Sugeno 模糊推理系统与卡尔曼滤波融合用于实时预测跟驰行为，他们的研究结果表明相比于仅有卡尔曼滤波方法的预测结果，混合驱动模型的最大优势是可以基于实时道路交通数据而自动校准模型参数，从而使得模型的结果更加接近真实情形。

这些研究不仅评估了混合驱动模型的预测效果，而且均与子模型单项预测效果进行了对比分析，他们的结果均表明采用混合驱动模型可显著提升模型的预测性能，且能够融合多模型的优势特征。最后，将常见的混合驱动模型组合类型进行总结如表 1.4 所示。

表 1.4 混合驱动跟驰模型相关研究的简要总结

序号	组合类别	研究方法	数据集
1	理论模型＋数据驱动	Gipps 模型＋BP 神经网络[130,131]	NGSIM 数据集
		Gipps 模型＋随机森林[131]	NGSIM＋自采真实数据
		IDM 模型＋RBF 神经网络[132]	NGSIM 数据集
		GM 模型＋seq2seq 结构下的 LSTM[134]	NGSIM 数据集
2	优化算法＋数据驱动	BP 神经网络＋RBF 神经网络[135]	自采真实数据
		马尔科夫链＋最大似然法[136]	自采真实数据
		马尔科夫链＋门控循环单元网络[137]	NGSIM 数据集
		模糊推理系统＋卡尔曼滤波[138]	自采真实数据

通过文献综述可知，随着交通流理论研究的逐渐深入，跟驰理论得到迅猛发展，形成了诸多具有理论价值和实践意义的成果。尤其近10年来，关于跟驰行为的理论探索和实证研究激增，表明研究跟驰行为既是当前的热点，又是当下的重点和难点。然而，梳理现有文献可发现，关于优化速度跟驰模型的研究还存在以下问题：

① 缺少详细且完整的跟驰数据提取与降噪方法。如何从车辆轨迹数据中快速提取出高质量跟驰数据的方法较为少见，跟驰数据降噪相关的研究也较少，无法有力支撑跟驰行为的研究。因此，目前的跟驰行为研究多以数值仿真为主，基于真实跟驰数据的建模研究不够丰富，使得获得的结果难以具有普适性。

② 现有优化速度函数考虑因素单一，难以反映多边际条件下的交通情形。优化速度类模型中的优化速度函数为学者在较早时期提出的，难以适用于当下的交通环境，需用较新的跟驰数据标定优化速度函数或建立新的优化速度函数；另外，早前的优化速度函数均是依据驾驶人对车头间距的反应而建立，考虑的因素过于单一，使得其难以表达多边际条件下的交通情形。

③ 针对跟驰车头间距临界阈值对跟驰行为影响的研究较少。在跟驰过程中，两辆车之间的跟驰行为并非持续存在，而是存在一定的范围区间。然而，当前少有研究考虑跟驰临界阈值约束的效应并对其进行定量研究，以及跟驰临界阈值约束对跟驰行为的影响机理。

④ 当前研究少见对驾驶人碰撞敏感性进行量化分析，并探讨其对跟驰行为的影响。目前虽已有研究考虑安全因素对跟驰行为的影响，但少见研究量化驾驶人碰撞敏感性，并研究驾驶人碰撞敏感性与模型稳定性的关系，以及研究驾驶人碰撞敏感性对交通流运行状态、交通波演化及驾驶安全水平的影响。

⑤ 针对预测跟驰瞬时速度的建模研究较少，且充分耦合机器学习和动力学的方法的研究不足。虽然基于机器学习方法的跟驰模型已较多，但专门针对预测跟驰瞬时速度的研究少见；在此基础上，充分结合理论驱动模型自身结构并将数据驱动模型融入其中的研究同样少见，故需针对该问题开展深入研究。

1.3 跟驰行为研究方法

（1）时序数据降噪处理及统计分析方法

跟驰数据是一种时间序列特征较为显著的数据，对其进行降噪、平滑处理及统计分析需要考虑到时间因素或变量之间的影响。为此，在数据降噪阶段，主要采用马氏距离进行异常值剔除处理，其在识别异常值时能够考虑到各种变量之间的联系，而非单独考虑某一变量，且独立于测量尺度。在剔除异常值后，对跟驰数据进行平滑处理时主要选用的方法包括移动平均法、Savitzky-Golay 滤波法和稳健的局部加权回归法。在数据分析部分，主要采用的方法包含统计学理论、皮尔逊相关系数、最大互信息系数和灰色关联分析方法，通过上述方法依次讨论了不同跟驰要素的统计分布及其之间的关联性和关联程度；然后，基于获取的结果来综合确定影响跟驰行为的主要因素和次要因素，并以量化指标区分相关程度。

（2）数学建模及数值仿真分析方法

本书主要以建立数学模型、验证模型的性能及应用分析为主线，因此选用的建模方法包含理论驱动方法和数据驱动方法。对于理论驱动的模型，主要以微分方程为理论基础，通过考虑不同的影响因素建立特定的微分方程模型，然后通过离散化的方法求解微分方程的数值解，进而达到验证模型性能的目的。对于数据驱动模型，主要选用当前较为成熟的机器学习方法，以验证它们描述跟驰行为的可能性和效果。在研究中，以数值仿真验证模型性能为主，具体以前向欧拉法和龙格库塔法对提出的模型进行离散化处理，从而达到数值模拟验证的目的。由于本书建立的跟驰模型属于微分方程，且属于初值问题，因此上述方法可用于求解建立模型的数值解。

（3）模型的稳定性分析方法

在自动控制领域中，李雅普诺夫稳定性可用来描述动力系统的稳定性。如果此动力系统任何初始条件在平衡态附近的轨迹均能维持在平衡态附近，那么可以称为在此处李雅普诺夫稳定。若任何初始条件在平衡态附近的轨迹最后都趋近，那么该系统可以称为在此处渐近稳定。李雅普诺夫稳定性理论能同时分析线性和非线性系统、定常系统和时变系统的稳定性，是更为一般的稳定性分析方法。由于跟驰过程属于动态过程，且属于非线性系统，因此选用李雅普诺夫稳定性理论来分析建立模型的稳定性，并求解模型稳定性的解析解。

（4）机器学习预测方法

在跟驰行为的研究中，一方面是建立可靠的跟驰模型复现复杂的跟驰特性，另一方面则是建立精度较高的模型预测跟驰行为的变化趋势。换言之，前者更强调研究“过去”的行为，后者更加关注“未来”的行为。因此，为建立精度较高的跟驰行为预测模型，首先选用了支持向量机回归、随机森林回归、XGBoost 回归和 Adaptive Boosting 回归方法用于预测跟驰瞬时速度。然后，在此基础上，为建立既能复现“过去”行为，又能预测“未来”行为的跟驰模型，进一步选择了具有记忆功能及适用于预测长时间序列数据的长短期记忆神经网络模型用于预测跟驰行为，并与经典的传统跟驰模型耦合成混合驱动跟驰模型，以更加准确地刻画跟驰行为的不同特性。

第2章

跟驰数据降噪处理与特性分析

本章遴选了高质量的车辆轨迹数据以用于研究跟驰行为，并介绍了车辆轨迹数据的基本概况和统计指标。基于跟驰车辆相互之间的约束条件，提出了完整且高效的跟驰数据提取方法。由于原始跟驰数据中存在大量异常值，故对比分析了不同的数据降噪与平滑方法，确定了最佳的数据处理方法组合，并得到有效跟驰数据。最后，基于有效跟驰数据初步探讨了跟驰行为关键参数的统计特征，并对关键因素进行识别和分析，为后续建模工作奠定了数据基础。

2.1 基础数据来源

高品质的车辆轨迹数据非常适用于研究微观交通流特性，尤其适用于研究车辆的跟驰行为[139]。因此，为了深入挖掘其中的交通特性，选取了比较具有代表性的高品质车辆轨迹数据，为美国联邦公路局的新一代交通仿真项目采集的数据集[140]。

新一代交通仿真项目（Next Generation Simulation Program，NGSIM）是由美国联邦公路局（FHWA）发起的一项支撑微观交通仿真技术发展的计划，其分别在美国 80 号州际高速公路（I-80）、兰克希尔大道和 101 号高速公路（US-101）采集了大量的高品质车辆轨迹数据[140]。

在上述地点对应的数据集中，在 US-101 道路中采集的车辆轨迹数据量最大（约占总数据量的 40%）、覆盖道路范围最广，且被领域内诸多学者用于研究交通流特性[139]。因此，选用 NGSIM 项目中的 US-101 的车辆轨迹数据集作为基础数据。为了方便描述，简称其为 US-101 数据集。

US-101 道路中研究区域的长度约为 640m，含 5 个主车道，在研究区域的两端处存在匝道和与匝道配套的辅道，且研究区域一共被划分为 8 个区段。为了采集穿过研究区域车辆的轨迹数据，NGSIM 项目组在 US-101 的每个区段上方设置了摄像机记录车辆轨迹。US-101 数据集的采集时长为 45min，分为三个时段：上午 7:50 至上午 8:05；上午 8:05 至上午 8:20；上午 8:20 至上午 8:35。这三个时段反映了交通拥堵的形成过程，非常有利于研究跟驰行为，能够为研究跟驰特性提供可靠的基础数据支撑。

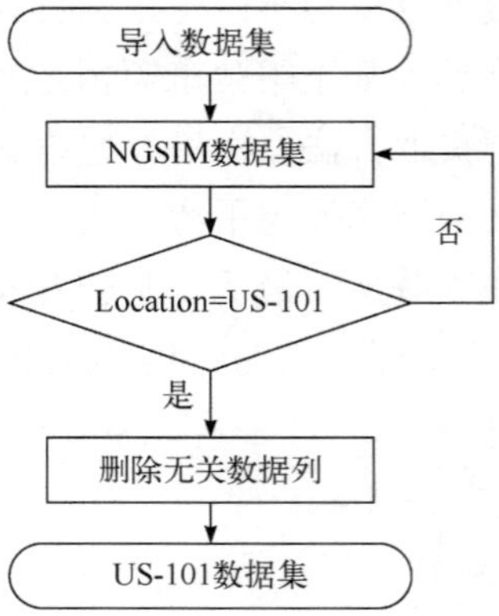

图 2.1 US-101 数据集提取流程

删除无关数据列的数据标签包含 Global_ Time、Local_ X、Local_ Y、Global_ X、Global_ Y、v_ Length、v_ Width、O_ Zone、D_ Zone、Int_ ID、Section_ ID、Direction 和 Movement

为从 NGSIM 项目采集的数据中提取出 US-101 子集，按照图 2.1 所示的处理流程执行数据提取。提取出的数据集涵盖了每一辆车经过研究区域的时间、瞬时速度、瞬时加速度等关键信息，合计采集约 480 万条车辆轨迹数据，采集时间间隔为 0.1s。该基础数据集包含 11 个数据标签[140]，与开展研究紧密相关的数据标签如表 2.1 所示。

表 2.1 US-101 数据集中与研究相关的数据标签说明

序号	数据标签	标签解释	单位
1	Vehicle _ ID	目标车辆编号	
2	Frame _ ID	视频数据帧编号，每个车辆单独计数	
3	Total _ Frames	单个车辆视频数据的总帧数	
4	v _ Class	车辆的类型：1—摩托车；2—汽车；3—卡车	
5	v _ Vel	车辆的瞬时速度	m/s
6	v _ Acc	车辆的瞬时加速度	m/s^2
7	Lane _ ID	车道编号	
8	Preceding	同一车道内目标车的前车编号	
9	Following	同一车道内目标车的后车编号	
10	Space _ Headway	同一车道内目标车与前车的瞬时车头间距	m
11	Time _ Headway	同一车道内目标车与前车的瞬时车头时距	s

US-101 数据集记录了整个早高峰期间道路中的交通流变化情况。首先，从宏观角度分析早高峰时段的交通流统计分布特征。根据数据集可得到研究区域内所有车辆的速度、加速度、车头间距和车头时距的描述统计结果（原始数据），如表 2.2 所示。

表 2.2　US-101 数据集中部分指标的描述统计结果（原始数据）

项目	平均值	标准差	最小值	Q1	中位数	Q3	最大值
速度/(m/s)	9.2	4.3	0.0	6.1	9.3	12.2	29.0
加速度/(m/s^2)	0.0	1.4	−3.4	−0.2	0	0.4	3.4
车头间距/m	20.5	12.5	0.0	13.2	18.2	25.2	237.1
车头时距/s	2.7	1.5	0.0	1.7	2.3	3.2	12.0

注：Q1 表示第一四分位数；Q3 表示第三四分位数。

此外，为直观地观察上述指标的统计分布特征，将 US-101 中研究区域内主要指标的统计分布趋势绘制成图 2.2 所示。由表 2.2 和图 2.2 可知，各个运行指标满足式（2.1）。

$$\begin{cases} 0 \leqslant v \leqslant 29 \\ -4 \leqslant a \leqslant 4 \\ 0 \leqslant \Delta x \leqslant 100 \\ 0 \leqslant \Delta t \leqslant 12 \end{cases} \tag{2.1}$$

式中，v 表示车辆的瞬时速度，m/s；a 表示车辆的瞬时加速度，m/s^2；Δx 表示瞬时车头间距，m；Δt 表示瞬时车头时距，s。

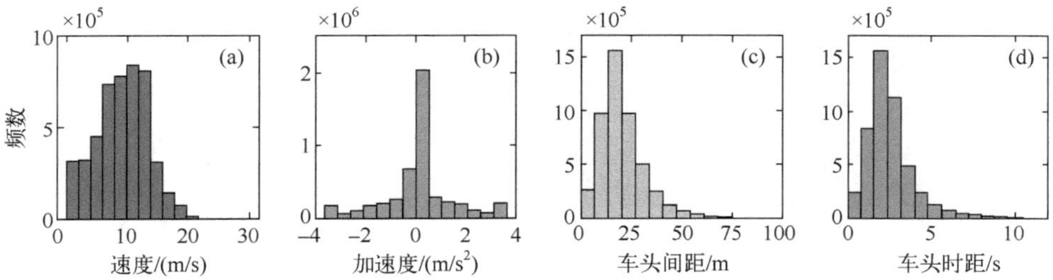

图 2.2　US-101 研究区域内所有车辆运行指标的频率分布直方图（样本数 N= 4802933）

在分析上述关键交通流指标统计分布的基础上，进一步分析调查路段全时段内车辆轨迹所反映的交通流特征。由于该数据集以时间序列记录数据，因此可依据车辆的瞬时轨迹坐标和速度信息，绘制出如图 2.3 所示的车辆轨迹-速度时空图。

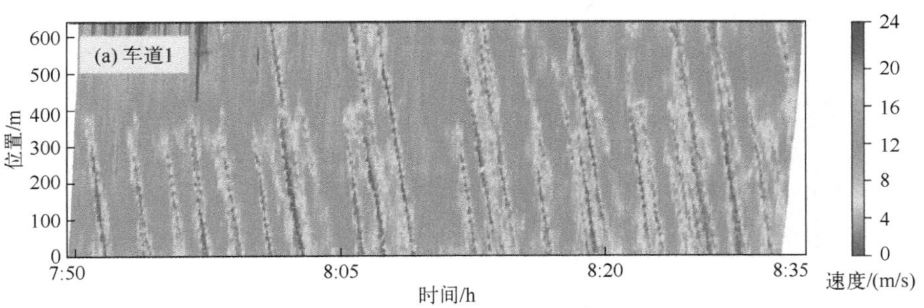

图 2.3

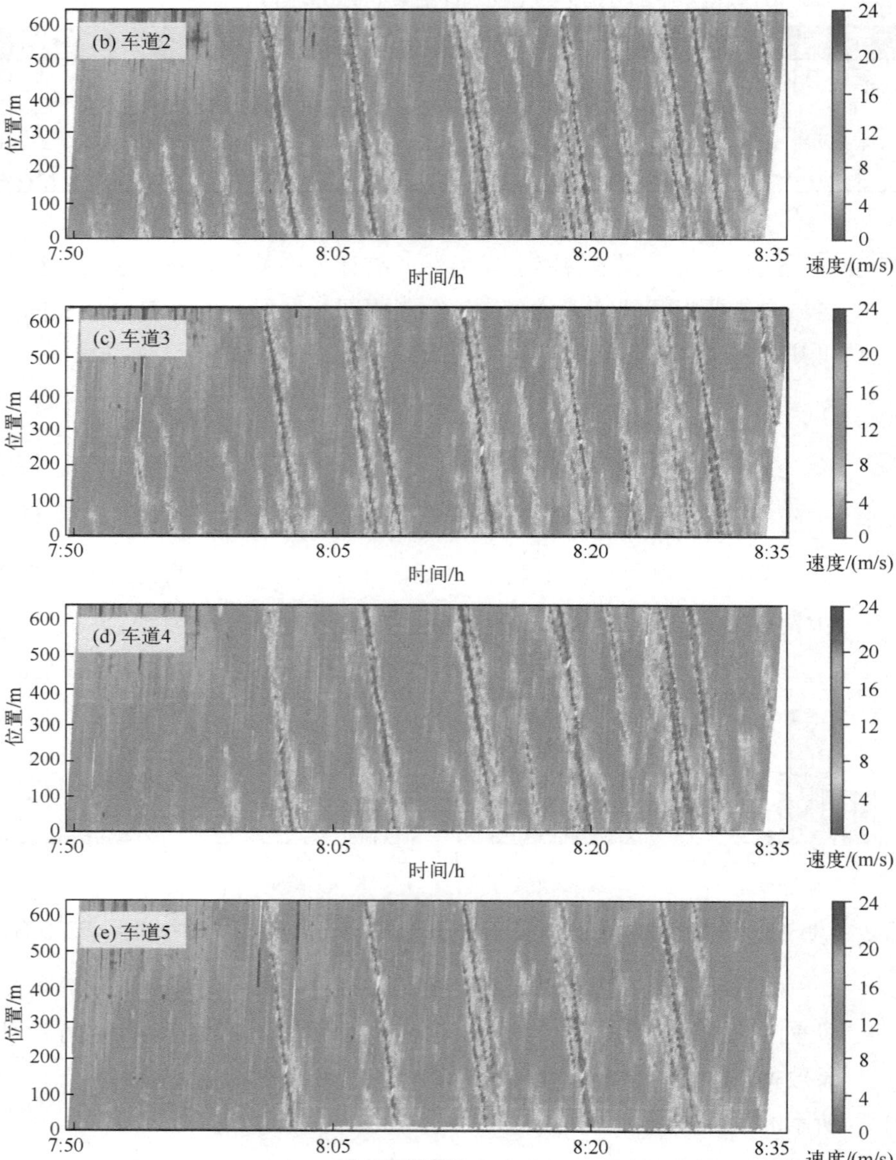

图 2.3　US-101 研究路段内各车道车辆轨迹-速度时空变化

从图 2.3 中可以看出，在时段 7:50 至 8:05 内，各车道中的车辆行驶速度相对较高，时走时停现象并不明显。然而，在 8:05 之后可明显看出车辆的时走时停现象开始加剧，说明此时的交通状态已经变为拥堵。此外，从图 2.3 也可看出各车道的拥堵情况存在差异，这是因为该路段存在匝道出入口，可能对临近匝道出入口处的车辆产生一定影响。另一方面，车辆的时走时停现象或者说是速度的间歇性波动，反映的是跟驰行驶时驾驶人根据当前交通状态调整车辆运行速度，从而适应当前交通环境的外在表现。因此，使用该数据集研究跟驰行为是可行的，能够用于研究跟驰行为。

2.2 跟驰数据筛选与降噪方法

2.2.1 跟驰数据筛选

由于 US-101 数据集中的轨迹数据并不是跟驰数据，无法直接用于研究跟驰行为，且数据中存在大量噪声。因此，本节首先从原始数据集中筛选出合理的跟驰数据，以备后续分析使用。为此，开发了用于筛选跟驰数据的程序，其主要工作流程如图 2.4 所示。

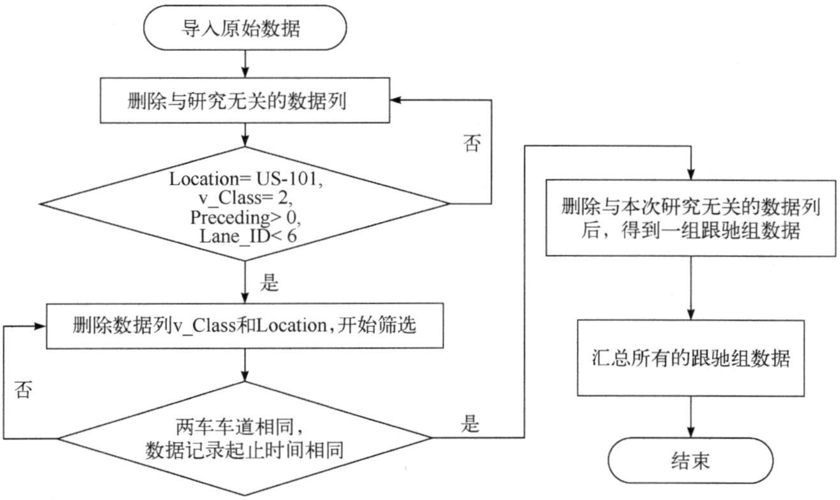

图 2.4　跟驰数据筛选流程

筛选得到的包含 9 列数据的数据集中，用 Lane_ ID 控制跟驰组中两辆车位于相同的车道，用数据列 Frame_ ID 和 Total_ Frames 控制跟驰组中同一车道上两辆车出现的时间一致性

对于 US-101 数据集，其数据是基于 NGVIDEO 摄像机在现场采集的，依照每辆车进入路段的先后顺序逐次记录，间隔为 0.1s。研究区

域内的路段被划分为 8 个区段，用 8 台同步摄像机记录。在数据采集过程中，同一辆车可能出现在不同区段中，即同一辆车在不同区段中前导车可能不同，对应着不同的跟驰组；另外，当某一车辆进入研究区段时，其前方同一车道上不一定有车辆行驶，因此不存在车辆跟驰行为。当其前方同一车道上有车辆行驶时，如果两车间距较大，也不一定发生跟驰行为。即原始数据集不能直接用于研究跟驰行为，需要筛选出符合跟驰条件的跟驰车辆组。于是，结合图 2.4 给出的筛选流程，这里给出更加具体的跟驰数据筛选过程：

步骤 1：利用 Python 读取 NGSIM 数据集，删除不需要的数据列，包含 Global _ Time、Local _ X、Local _ Y、Global _ X、Global _ Y、v _ Length、v _ Width、O _ Zone、D _ Zone、Int _ ID、Section _ ID、Direction 和 Movement。此时，剔除后的数据集剩余 12 列。

步骤 2：由于使用的子数据集是 US-101 道路的，且需均为小汽车的轨迹，车道编号应分布于 1～5，目标车辆同车道的前方必须存在车辆。因此，应遵循式（2.2）进行筛选。

$$\begin{cases} \text{Location} = \text{'US-101'} \\ \text{v\_Class} = 2 \\ \text{Preceding} > 0 \\ \text{Lane\_ID} < 6 \end{cases} \tag{2.2}$$

步骤 3：此时已获得 US-101 中全部小汽车的轨迹数据，可删去车辆类型（v _ Class）、位置（Location）和总帧数（Total _ Frames）三列数据，精简数据集为 9 列，数据标签（重命名后）包含：Vehicle _ ID，Frame _ ID，Fol _ Velocity，Fol _ Acceleration，Lane _ ID，Preceding _ ID，Following _ ID，Space _ Headway 和 Time _ Headway。

步骤 4：根据上步结果，按照车道编号（Lane _ ID）将其拆分为单个数据集，共 5 个。

步骤 5：以车道 1 的数据集为例，筛选该车道下的所有跟驰数据。首先，需将每辆车的编号提取出来，作为索引。以编号 725 的目标车为例，先根据编号 725 将该车在车道 1 所有的数据提取出，得到数据 A；然后，筛选出 725 号车在不同位置时出现的所有前车编号，为 717 和 721。然后，分别筛选出跟驰组 725-717 和 725-721 的数据。注意，此时仅筛选出了跟驰车的数据，也就是 725 号车。

步骤 6：根据上步结果，需筛选出车辆编号为 717 和 721 的数据才能构成完整的跟驰数据。以跟驰组 725-721 为例，相同于车辆 725 的处理方法，此时筛选车道 1 下车辆 721 的数据，同时需要控制车辆 721 的后车编号必须为 725。此时，便找到前方为 721 车时 725 车的轨迹数据和后方为 725 车时 721 车的轨迹数据，且它们位于同一车道。

步骤 7：上步已得到跟驰组 725-721 的粗略数据，此时还需进一步控制 725 车和 721 车数据的每一帧（Frame _ ID）都必须一致，这样才能保证 725 车和 721 车的数据是时间同步的。于是，可得到跟驰组 725-721 的最终数据，示例如表 2.3 所示。

表 2.3　跟驰组 725-721 部分原始数据示例

Time	F_ ID	F_ Frame	FV	FA	FP_ ID	SH	P_ ID	P_ Frame	PV	PA	PF_ ID
0.1	725	2982	14.7	−0.4	721	51.9	721	2982	13.0	−0.1	725
0.2	725	2983	14.7	−0.4	721	51.9	721	2983	13.0	0.0	725
0.3	725	2984	14.7	−0.5	721	51.8	721	2984	13.0	0.1	725
0.4	725	2985	14.7	−0.5	721	51.7	721	2985	13.0	0.2	725
0.5	725	2986	14.7	−0.6	721	51.7	721	2986	13.0	0.2	725
0.6	725	2987	14.6	−0.6	721	51.6	721	2987	13.0	0.3	725
0.7	725	2988	14.6	−0.7	721	51.5	721	2988	13.0	0.4	725
0.8	725	2989	14.6	−0.7	721	51.5	721	2989	13.0	0.5	725
0.9	725	2990	14.6	−0.8	721	51.4	721	2990	12.9	0.6	725
1.0	725	2991	14.5	−0.8	721	51.4	721	2991	12.9	0.6	725

注：Time 表示该跟驰组记录的时刻，s；F _ ID 和 P _ ID 表示跟驰车和前导车的编号；FP _ ID 和 PF _ ID 依次表示跟驰车行驶时其紧邻前方车辆的编号、前导车行驶时其紧邻后方车辆的编号；FV 和 PV 表示跟驰车和前导车的速度，m/s；FA 和 PA 表示跟驰车和前导车的加速度，m/s^2；F _ Frame 和 P _ Frame 表示跟驰车和前导车该条数据记录时的帧数；SH 表示车头间距，m。

步骤 8：如此往复循环，排查所有车辆前方是否存在车辆，并将每个配对的跟驰组单独筛选出来，之后合并该车道下所有的跟驰组。最终，剔除时长小于 60s 的跟驰组后，筛选出 1500 组有效的跟驰数据，每个跟驰组均包含两辆车，分别为跟驰车和前导车。筛选后的数据曲线示例如图 2.5 所示，全体跟驰数据的描述统计结果如表 2.4 所示。

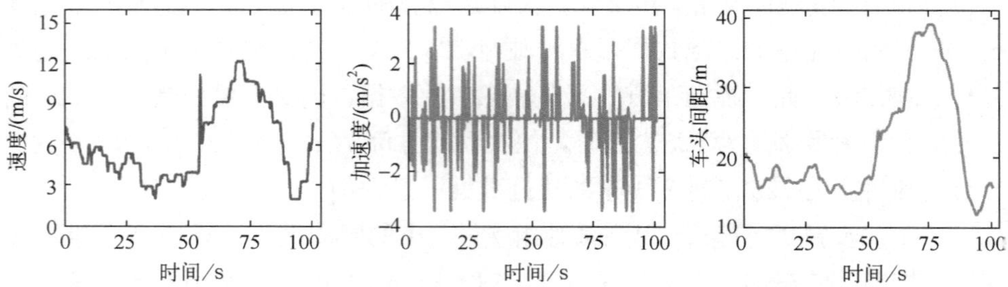

图 2.5　跟驰数据示例（原始数据）

表 2.4　跟驰数据的描述统计结果（原始数据）

项目	平均值	标准差	最小值	Q1	中位数	Q3	最大值
跟驰车速度/(m/s)	7.8	4.0	0	4.6	7.7	10.8	25.5
跟驰车加速度/(m/s^2)	0.0	1.3	−3.4	−0.1	0	0.2	3.4
车头间距/m	19.1	9.0	0	12.9	17.2	23.0	126.1
前导车速度/(m/s)	7.9	4.1	0	4.6	7.9	10.9	29.3
前导车加速度/(m/s^2)	0	1.3	−3.4	−0.1	0	0.3	3.4

注：Q1 表示第一四分位数；Q3 表示第三四分位数。

2.2.2　跟驰数据降噪

虽然在数据筛选过程中已经剔除了显著异常的数据，但是提取后的跟驰数据中仍存在大量噪声，从图 2.5 中可明显看出加速度的数据较为异常。因此，需对数据进行降噪处理。此外，跟驰数据集中的主要问题是存在异常值和数据极不平滑，但不存在缺失值；另外，筛选的跟驰数据中每组跟驰数据均是独立的，且每列数据均为时间序列数据。因此，本书在数据降噪处理时主要侧重以下方面：异常值处理、数据平滑处理。

2.2.2.1　异常值处理

异常值（Outlier）指在某数据集中，某个数据点的位置明显不同于整体数据分布的趋势，或者说该数据点明显偏离整体数据集，所以又称它为离群点。通常，一组给定的数据中任意数据点与平均值的偏差超过两倍或三倍标准差时，称该数据点为高度异常值。异常值的处理流程一般为先识别出异常值，然后再对异常值进行修正，使异常数值恢复正常。异常值的识别方法一般有简单的统计分析、3σ 原则、箱线图分析和马氏距离等，本书选用马氏距离识别跟驰数据中的异常值。

马哈拉诺比斯距离（Mahalanobis Distance），又称马氏距离，是指数据的协方差距离，它是一种用于计算两个未知样本集相似度的方法[141]。其在识别异常值时能够考虑到各变量之间的联系，而非单独考虑某一变量；此外，马氏距离是尺度无关的，即独立于测量尺度。对于跟驰数据而言，一组跟驰数据主要包含跟驰车的速度、加速度，前导车的速度、加速度及车头间距。在识别这些变量中的异常值时，不能单独修复某一异常值，因为这些变量是相互关联的，例如当车头间距出现异常值时，需观察对应的前车和后车的速度、加速度值是否异常，如果它们并无异常，那么车头间距的异常值则应为正常值。因此，选取马氏距离来识别跟驰数据的异常值是合适的。以两个跟驰数据组为例，马氏距离的计算过程如下：

假设数据集 $X \in R^{N \times F}$，N 表示数据集中样本的总数量（Number of Samples），F 表示每个样本的特征维度数量（Feature Dimensions）。$\boldsymbol{x}_1$ 和 $\boldsymbol{x}_2 \in R^F$ 为两个样本，那么 $\boldsymbol{x}_1$ 和 $\boldsymbol{x}_2$ 之间的马氏距离 D_{M} 为：

$$D_{\mathrm{M}}(\boldsymbol{x}_1, \boldsymbol{x}_2)=\sqrt{(\boldsymbol{x}_1-\boldsymbol{x}_2)^{\mathrm{T}} \sum\nolimits_{\boldsymbol{X}}^{-1}(\boldsymbol{x}_1-\boldsymbol{x}_2)} \tag{2.3}$$

式中，$\sum_{\boldsymbol{X}}^{-1}$ 为协方差矩阵的逆。

设 $\boldsymbol{X}$ 的协方差矩阵为 $\sum_{\boldsymbol{X}}$，均值向量为 $\boldsymbol{\mu}_{\boldsymbol{X}}$。为消除不同变量之间的相关性，通过矩阵 $\boldsymbol{U}^{\mathrm{T}}$ 对 $\boldsymbol{X}$ 进行坐标转换，将原始数据映射到新坐标体系下（$\boldsymbol{U}^{\mathrm{T}}$ 中行向量为新的坐标轴），记为 $\boldsymbol{Y}=\boldsymbol{U}^{\mathrm{T}}\boldsymbol{X}$。在新坐标体系下，$\boldsymbol{Y}$ 表示向量的不同维度之间是相互独立的，因此 $\boldsymbol{Y}$ 的协方差矩阵为对角矩阵。于是，可得 $\boldsymbol{\mu}_{\boldsymbol{Y}}=\boldsymbol{U}^{\mathrm{T}}\boldsymbol{\mu}_{\boldsymbol{X}}$，进一步可得 $\boldsymbol{Y}$ 的协方差矩阵：

$$\begin{aligned}
\sum\nolimits_{\boldsymbol{Y}} &= \frac{1}{n}[\boldsymbol{Y}-\boldsymbol{\mu}_{\boldsymbol{Y}}][\boldsymbol{Y}-\boldsymbol{\mu}_{\boldsymbol{Y}}]^{\mathrm{T}} \\
&= \frac{1}{n}[\boldsymbol{U}^{\mathrm{T}}(\boldsymbol{X}-\boldsymbol{\mu}_{\boldsymbol{X}})][\boldsymbol{U}^{\mathrm{T}}(\boldsymbol{X}-\boldsymbol{\mu}_{\boldsymbol{X}})]^{\mathrm{T}} \\
&= \frac{1}{n}\boldsymbol{U}^{\mathrm{T}}(\boldsymbol{X}-\boldsymbol{\mu}_{\boldsymbol{X}})(\boldsymbol{X}-\boldsymbol{\mu}_{\boldsymbol{X}})^{\mathrm{T}}\boldsymbol{U} \\
&= \boldsymbol{U}^{\mathrm{T}}\sum\nolimits_{\boldsymbol{X}}\boldsymbol{U}
\end{aligned} \tag{2.4}$$

通过式（2.4）实现考虑数据中不同变量之间的相关性。对变量 $\boldsymbol{y}$ 进行标准化处理：

$$\boldsymbol{y}'=\sum\nolimits_{\boldsymbol{Y}}^{-\frac{1}{2}}(\boldsymbol{y}-\boldsymbol{\mu}_{\boldsymbol{Y}})$$

$$=(\boldsymbol{U}^{\mathrm{T}}\sum\nolimits_{\boldsymbol{X}}\boldsymbol{U})^{-\frac{1}{2}}\boldsymbol{U}^{\mathrm{T}}(\boldsymbol{x}-\boldsymbol{\mu}_{\boldsymbol{X}}) \tag{2.5}$$

然后，通过计算向量内积便可求得距离，$\boldsymbol{y}'$到原点的距离为：

$$\begin{aligned}\sqrt{\boldsymbol{y}'^{\mathrm{T}}\boldsymbol{y}'}&=\sqrt{(\boldsymbol{x}-\boldsymbol{\mu}_{\boldsymbol{X}})^{\mathrm{T}}\boldsymbol{U}(\boldsymbol{U}^{\mathrm{T}}\sum\nolimits_{\boldsymbol{X}}\boldsymbol{U})^{-\frac{1}{2}}(\boldsymbol{U}^{\mathrm{T}}\sum\nolimits_{\boldsymbol{X}}\boldsymbol{U})^{-\frac{1}{2}}\boldsymbol{U}^{\mathrm{T}}(\boldsymbol{x}-\boldsymbol{\mu}_{\boldsymbol{X}})}\\&=\sqrt{(\boldsymbol{x}-\boldsymbol{\mu}_{\boldsymbol{X}})^{\mathrm{T}}\boldsymbol{U}(\boldsymbol{U}^{\mathrm{T}}\sum\nolimits_{\boldsymbol{X}}\boldsymbol{U})^{-1}\boldsymbol{U}^{\mathrm{T}}(\boldsymbol{x}-\boldsymbol{\mu}_{\boldsymbol{X}})}\\&=\sqrt{(\boldsymbol{x}-\boldsymbol{\mu}_{\boldsymbol{X}})^{\mathrm{T}}\boldsymbol{U}\boldsymbol{U}^{-1}\sum\nolimits_{\boldsymbol{X}}^{-1}\boldsymbol{U}\boldsymbol{U}^{\mathrm{T}}(\boldsymbol{x}-\boldsymbol{\mu}_{\boldsymbol{X}})}\\&=\sqrt{(\boldsymbol{x}-\boldsymbol{\mu}_{\boldsymbol{X}})^{\mathrm{T}}\sum\nolimits_{\boldsymbol{X}}^{-1}(\boldsymbol{x}-\boldsymbol{\mu}_{\boldsymbol{X}})}\end{aligned} \tag{2.6}$$

然而，对于 $\boldsymbol{x}_1$ 和 $\boldsymbol{x}_2$ 之间的马氏距离首先需要将它们映射到新坐标体系中，并进行标准化处理，从而可以得到：

$$\begin{cases}\boldsymbol{y}_1=(\boldsymbol{U}^{\mathrm{T}}\sum\nolimits_{\boldsymbol{X}}\boldsymbol{U})^{-\frac{1}{2}}\boldsymbol{U}^{\mathrm{T}}(\boldsymbol{x}_1-\boldsymbol{\mu}_{\boldsymbol{X}})\\\boldsymbol{y}_2=(\boldsymbol{U}^{\mathrm{T}}\sum\nolimits_{\boldsymbol{X}}\boldsymbol{U})^{-\frac{1}{2}}\boldsymbol{U}^{\mathrm{T}}(\boldsymbol{x}_2-\boldsymbol{\mu}_{\boldsymbol{X}})\end{cases} \tag{2.7}$$

于是，可求得 $\boldsymbol{y}_1$ 和 $\boldsymbol{y}_2$ 的差值 $\boldsymbol{y}_{\mathrm{d}}$，如式（2.8）所示：

$$\boldsymbol{y}_{\mathrm{d}}=(\boldsymbol{U}^{\mathrm{T}}\sum\nolimits_{\boldsymbol{X}}\boldsymbol{U})^{-\frac{1}{2}}\boldsymbol{U}^{\mathrm{T}}(\boldsymbol{x}_1-\boldsymbol{x}_2) \tag{2.8}$$

最后，再次计算向量内积便可求得 x_1 和 x_2 之间的马氏距离，如下式所示：

$$\begin{aligned}\sqrt{\boldsymbol{y}_{\mathrm{d}}^{\mathrm{T}}\boldsymbol{y}_{\mathrm{d}}}&=\sqrt{(\boldsymbol{x}_1-\boldsymbol{x}_2)^{\mathrm{T}}\boldsymbol{U}(\boldsymbol{U}^{\mathrm{T}}\sum\nolimits_{\boldsymbol{X}}\boldsymbol{U})^{-\frac{1}{2}}(\boldsymbol{U}^{\mathrm{T}}\sum\nolimits_{\boldsymbol{X}}\boldsymbol{U})^{-\frac{1}{2}}\boldsymbol{U}^{\mathrm{T}}(\boldsymbol{x}_1-\boldsymbol{x}_2)}\\&=\sqrt{(\boldsymbol{x}_1-\boldsymbol{x}_2)^{\mathrm{T}}\boldsymbol{U}(\boldsymbol{U}^{\mathrm{T}}\sum\nolimits_{\boldsymbol{X}}\boldsymbol{U})^{-1}\boldsymbol{U}^{\mathrm{T}}(\boldsymbol{x}_1-\boldsymbol{x}_2)}\\&=\sqrt{(\boldsymbol{x}_1-\boldsymbol{x}_2)^{\mathrm{T}}\boldsymbol{U}\boldsymbol{U}^{-1}\sum\nolimits_{\boldsymbol{X}}^{-1}\boldsymbol{U}\boldsymbol{U}^{\mathrm{T}}(\boldsymbol{x}_1-\boldsymbol{x}_2)}\\&=\sqrt{(\boldsymbol{x}_1-\boldsymbol{x}_2)^{\mathrm{T}}\sum\nolimits_{\boldsymbol{X}}^{-1}(\boldsymbol{x}-\boldsymbol{x}_2)}\end{aligned} \tag{2.9}$$

根据以上计算流程可求解变量之间的马氏距离，以识别出异常数据点。为简化计算，本书选取了五个核心变量来计算马氏距离，依次为跟驰车速度、加速度，前导车速度、加速度和车头间距，部分结果示例如表 2.5 所示。

表 2.5　马氏距离的部分计算结果

帧数	FV	FA	PV	PA	SH	D_M
211	7.01	−0.05	7.70	0.03	23.13	1.92
212	7.00	−0.04	7.70	0.05	23.20	1.82

续表

帧数	FV	FA	PV	PA	SH	D_M
213	7.02	0.29	7.70	−0.11	23.27	1.71
214	7.09	1.02	7.66	−0.56	23.34	1.30
215	7.23	1.82	7.57	−1.14	23.40	1.71
216	7.42	2.19	7.45	−1.42	23.43	2.13
217	7.62	1.82	7.33	−1.15	23.41	1.70
218	7.76	1.01	7.24	−0.56	23.36	1.49
219	7.83	0.29	7.21	−0.10	23.29	1.88
220	7.84	−0.04	7.20	0.05	23.22	1.71
221	7.84	−0.04	7.20	0.02	23.16	1.21
222	7.84	0.00	7.21	0.05	23.09	1.37
223	7.84	0.00	7.21	0.05	23.03	1.97
224	7.84	0.00	7.19	−0.39	22.97	2.30
225	7.76	−1.27	7.09	−1.44	22.90	3.58

注：FV 和 PV 表示跟驰车和前导车的速度，m/s；FA 和 PA 表示跟驰车和前导车的加速度，m/s^2；SH 表示车头间距，m。

根据计算得到的马氏距离，还需进一步确定异常值的阈值，本书选择卡方检验（χ^2 Test）方法来计算异常数值的阈值。卡方检验是指：假设从总体数据中随机取样得到 n 个观测值，然后将它们划分为 k 个互斥的类别，这样每个类别都有一个对应的实际观测次数 x_i（$i=1$，2，…，k）。于是可知，每个观测值落入第 i 个类别的概率为 p_i，进一步可得第 i 个分类的理论期望次数 $m_i=np_i$ 及约束条件：

$$\begin{cases} \sum_{i=1}^{k} p_i = 1 \\ \sum_{i=1}^{k} m_i = \sum_{i=1}^{k} x_i = n \end{cases} \tag{2.10}$$

在上述条件成立的情况下，当 $n\to\infty$时，以下统计量的分布趋向于 χ^2 分布：

$$\chi^2 = \sum_{i=1}^{k} \frac{(x_i - m_i)^2}{m_i} = \sum_{i=1}^{k} \frac{x_i^2}{m_i} - n \tag{2.11}$$

由于选取的变量为 5 个，可知其自由度为 4。此外，将显著性水平设为 $\alpha=0.005$，根据式（2.11）可得阈值为 14.86。然后，根据求得的阈值对比所有跟驰变量的马氏距离，可筛选出异常值并将其剔除。对于剔除的数据，本书采用取两侧平均值填补的方法补全，遍历所有数据。在完成一轮数据筛选后，需要再次计算所有数据的马氏距离，检查是否还存在异常值，如不存在，结束数据筛选。

2.2.2.2 数据平滑处理

数据平滑处理的目标是将波动幅度较大的数据平滑为更加接近真实值。虽然已对跟驰数据进行了异常值处理，但还存在大量数据点分布与整体分布不太吻合。例如图 2.5 所示的原始跟驰数据中的加速度曲线，它的各个数据点并无明显的异常，但不符合实际情况。因此，需进一步对跟驰数据进行平滑处理。由于本书涉及的数据均为时间序列，而常用于序列数据平滑处理的方法主要有移动平均法、Savitzky-Golay 滤波法和稳健的局部加权回归法等，接下来对各个方法进行比选。

(1) 移动平均法

移动平均法假设观测数据中总是存在噪声，而期望噪声的均值为零，方差为 σ^2，观测值与实测值之间存在如式（2.12）所示的关系：

$$x_t = o_t + \varepsilon_t \tag{2.12}$$

式中，x_t 为实测值；o_t 为观测值；ε_t 为噪声。

为平滑数据，可把相邻时刻的观测值相加后求平均值，如式（2.13）所示：

$$p_t = \frac{\sum_{i=1}^{k}(o_{t-i} + o_{t+i}) + o_t}{2n+1} \tag{2.13}$$

式中，p_t 为平滑后的数值；o_{t-i} 和 o_{t+i} 分别为 $t-i$ 和 $t+i$ 时刻的观测值；n 为移动窗口的长度。

然后，将式（2.12）代入式（2.13）可得下式：

$$p_t = \frac{\sum_{i=1}^{k}(x_{t-i} + x_{t+i}) + x_t - \sum_{i=1}^{k}(\varepsilon_{t-i} + \varepsilon_{t+i}) - \varepsilon_t}{2n+1} \tag{2.14}$$

由于移动平均法假设噪声的均值为零，所以可得式（2.15）：

$$\sum_{i=1}^{k}(\varepsilon_{t-i} + \varepsilon_{t+i}) - \varepsilon_t = 0 \tag{2.15}$$

将式（2.15）代入式（2.14），可得到式（2.16）：

$$p_t = \frac{\sum_{i=1}^{k}(x_{t-i} + x_{t+i}) + x_t}{2n+1} \tag{2.16}$$

如果观测数据的实测值变化较小时，可以近似得到：

$$p_t = \frac{\sum_{i=1}^{k}(x_{t-i} + x_{t+i}) + x_t}{2n+1} = x_t \tag{2.17}$$

由移动平均法的计算原理可知，当移动窗口内的观测数据变化较小时，该方法过滤噪声的效果较好；但是，当移动窗口内的观测数据变化较大时，可能会损失一定的精度。

（2）Savitzky-Golay 滤波法

Savitzky-Golay 滤波法，简称 SG 法，最早是由 Savitzky 和 Golay[142]提出，该方法通过多项式对移动窗口内的数据点进行最小二乘拟合，从而求解出移动窗口内中心点两侧数值的加权平均。该方法的特点是能够最大程度保留数据的趋势或几何形状，且比较适用于时间序列数据的平滑处理，其基本计算公式如式（2.18）所示：

$$X_i' = \frac{\sum_{j=-k}^{k} X_{i+j} W_j}{\sum_{j=-k}^{k} W_j} \tag{2.18}$$

式中，X_i'和 X_{i+j} 依次为平滑后和平滑前的数据；W_j 为移动窗口的权重；窗口长度为 $2k+1$。

由式（2.18）可看出，Savitzky-Golay 滤波法最重要的是确定移动窗口的权重 W_j。假设以窗口宽度为 $2k+1$ 对时间序列数据进行滑动滤波，对于平滑区间内的数据可用式（2.19）进行多项式拟合：

$$y_i = w_0 + w_1 x + w_2 x^2 + \cdots + w_n x^n \tag{2.19}$$

于是，可得到如下方程组：

$$\begin{pmatrix} y_{-k} \\ y_{-k+1} \\ \vdots \\ y_{k-1} \\ y_k \end{pmatrix} = \begin{pmatrix} 1 & -k & \cdots & (-k)^{n-1} & (-k)^n \\ 1 & -k+1 & \cdots & (-k+1)^{n-1} & (-k+1)^n \\ \vdots & \vdots & & \vdots & \vdots \\ 1 & k-1 & \cdots & (k-1)^{n-1} & (k-1)^n \\ 1 & k & \cdots & k^{n-1} & k^n \end{pmatrix} \begin{pmatrix} w_0 \\ w_1 \\ \vdots \\ w_{n-1} \\ w_n \end{pmatrix} + \begin{pmatrix} \varepsilon_{-k} \\ \varepsilon_{-k+1} \\ \vdots \\ \varepsilon_{k-1} \\ \varepsilon_k \end{pmatrix} \tag{2.20}$$

式（2.20）可化简为矩阵形式，如式（2.21）所示：

$$\boldsymbol{Y}_{2k+1,\ 1}=\boldsymbol{X}_{2k+1,\ n+1}\boldsymbol{W}_{n+1,\ 1}+\boldsymbol{E}_{2k+1,\ 1} \tag{2.21}$$

于是，可解得移动窗口的权重 $\boldsymbol{W}$ 和平滑后的值分别为：

$$\boldsymbol{W}=(\boldsymbol{X}^{\mathrm{T}}\boldsymbol{X})^{-1}\boldsymbol{X}^{\mathrm{T}}\boldsymbol{Y} \tag{2.22}$$

$$\boldsymbol{X}'=\boldsymbol{X}(\boldsymbol{X}^{\mathrm{T}}\boldsymbol{X})^{-1}\boldsymbol{X}^{\mathrm{T}}\boldsymbol{Y} \tag{2.23}$$

由 Savitzky-Golay 滤波法的计算原理可知，该方法计算流程直观简便，能够最大程度地保留数据的趋势或几何形状，但对于高频数据可能效果并不理想。

（3）稳健的局部加权回归法

稳健的局部加权回归法（Robust Local Weighted Regression），简称 Robust LOWESS，它是由 Cleveland[143] 在局部加权回归方法的基础上改进而来，其特点是能够避免异常值对平滑过程的影响。局部加权回归的平滑思路是以某数据点为中心，向该点两侧截取长度为 k 的数据点，并对这段长度为 $2k+1$ 的数据用权值函数 w 执行加权回归；然后，记（x，$\hat{y}$）为加权回归线的中心值，$\hat{y}$ 表示拟合后的曲线对应的数据点。之后，对所有数据点重复上述操作，可得到 n 组中心值，这些新的 $\hat{y}$ 构成的曲线则为局部加权回归曲线。而 Robust LOWESS 方法则是进一步根据估计值计算残差，并依据残差求得 Robust 权重，然后使用 Robust 权重再次执行最小二乘加权线性回归便可得到最终值。

稳健的局部加权回归法的计算原理为：

首先构造局部加权回归的权重，如下所示：

$$W(x_k)=\left(1-\left|\frac{x_i-x_k}{d_i}\right|^3\right)^3 \tag{2.24}$$

式中，d_i 为 x_i 到第 n 个临近点的距离；k 取值为 1，2，…，n。

然后，基于最小二乘线性回归对数据点执行平滑处理，即求解下式中的参数：

$$\hat{y}_k=a+bx_k \tag{2.25}$$

为抑制异常值对回归的影响，需进一步确定 Robust 权重。在此之前，需计算估计值的残差和相应的中值。因此，可得到 Robust 权重的计算公式：

$$
W_R(x_k)=\begin{cases}\left\{1-\left[\dfrac{|y_i-\hat{y}_i|}{6\mathrm{median}(y_i-\hat{y})}\right]^2\right\}^2, & \text{如果}\dfrac{|y_i-\hat{y}_i|}{6\mathrm{median}(y_i-\hat{y})}<1\\ 0, & \text{如果}\dfrac{|y_i-\hat{y}_i|}{6\mathrm{median}(y_i-\hat{y})}\geqslant 1\end{cases} \tag{2.26}
$$

然后，以 Robust 权重和初始权重的乘积，再次用最小二乘加权线性回归求估计值：

$$
\sum_k W(x_k)W_R(x_k)(y_k-a-bx_k)^2 \tag{2.27}
$$

此外，可经过多次迭代运算来提升平滑效果。根据上述计算原理可看出，稳健的局部加权回归法更适用于时序数据平滑，能够避免异常数值对整体数据趋势的影响。

(4) 平滑效果对比

基于以上数据平滑方法，对原始跟驰数据进行平滑处理，以对比不同方法的平滑效果，最终选择出效果相对较好的方法。为便于观察平滑效果，示例如图 2.6～图 2.8 所示。

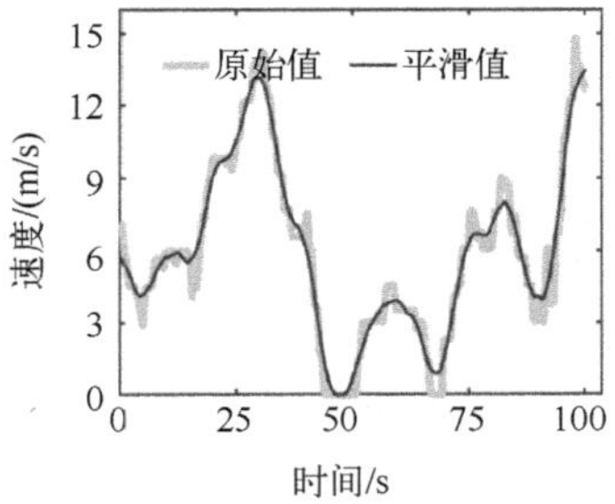

(a) 移动平均法

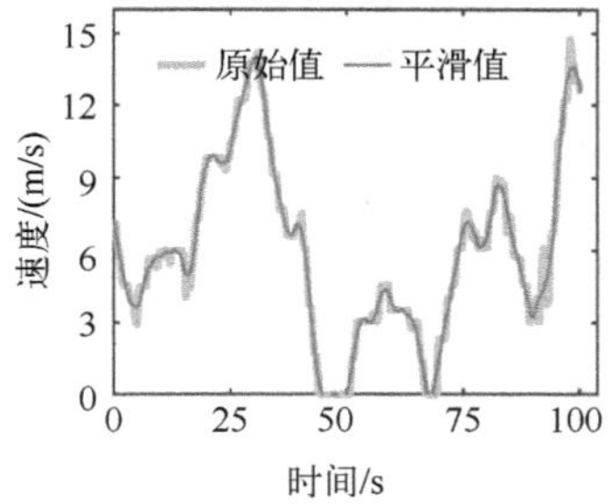

(b) Savitzky-Golay滤波法

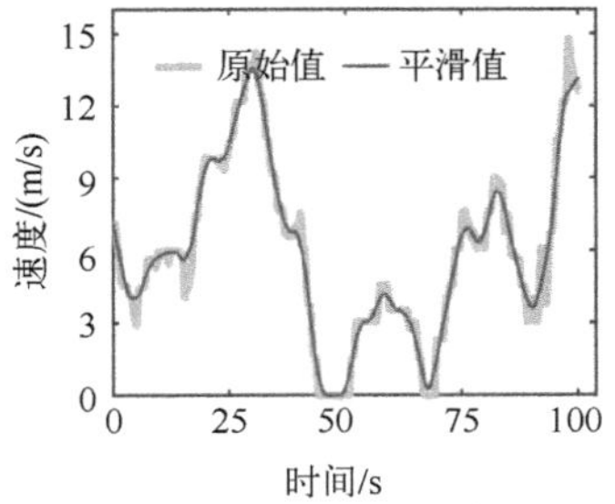

(c) Robust LOWESS法

图 2.6　跟驰数据平滑前后对比：速度

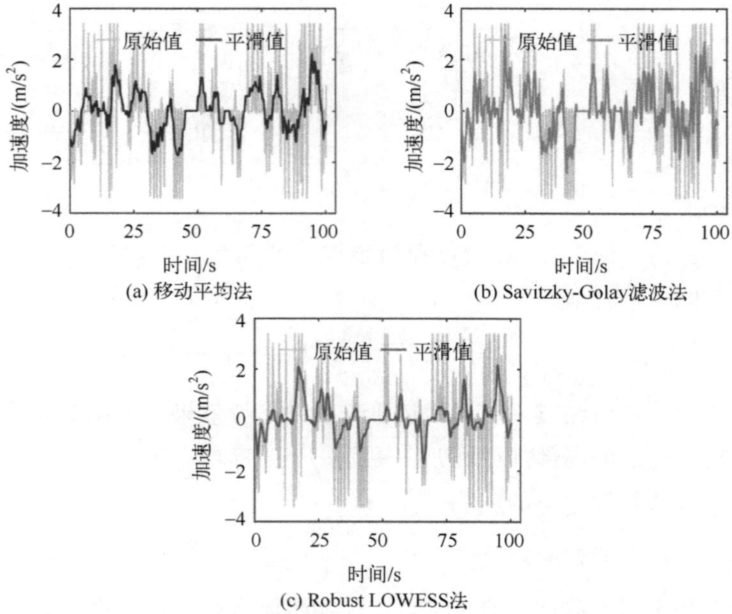

(a) 移动平均法 (b) Savitzky-Golay滤波法 (c) Robust LOWESS法

图 2.7 跟驰数据平滑前后对比：加速度

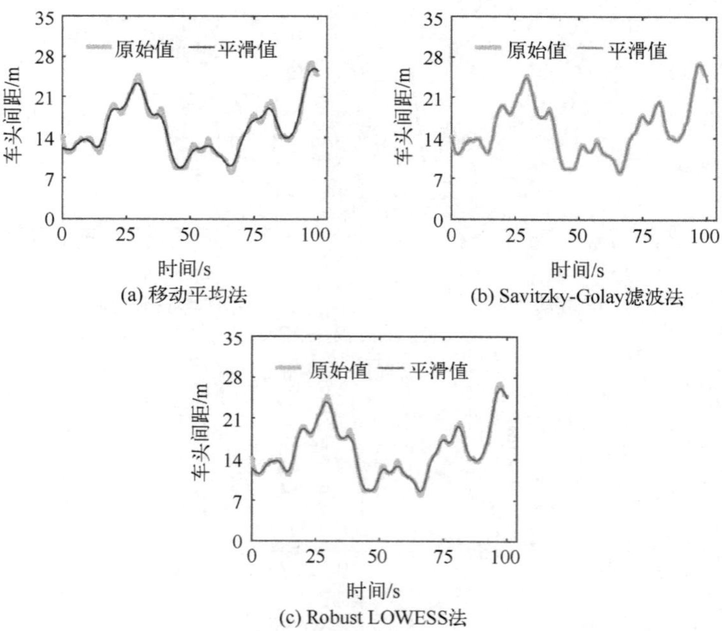

(a) 移动平均法 (b) Savitzky-Golay滤波法 (c) Robust LOWESS法

图 2.8 跟驰数据平滑前后对比：车头间距

通过上述方法对筛选后的跟驰数据进行平滑处理。在评估数据平滑效果时，本书遵循三个原则判别：

① 平滑后的数据分布是否与经验分布更加一致；

② 平滑后的数据与原始数据的标准差是否最小，从而观察是否平滑；

③ 再次运用马氏距离计算各组数据，判断平滑后的数据是否存在异常值。

执行上述过程后发现，稳健的局部加权回归法在平滑跟驰数据时效果较好，最终选取经稳健的局部加权回归法平滑处理后的数据，作为下一步研究中的基础数据库。

此外，根据稳健的局部加权回归法处理后的数据，计算了平滑后跟驰数据的描述统计结果，如表 2.6 所示。

表 2.6　平滑处理后跟驰数据的描述统计结果

项目	平均值	标准差	最小值	Q1	中位数	Q3	最大值
跟驰车速度/(m/s)	7.7	3.9	0.0	4.7	7.8	10.7	21.0
跟驰车加速度/(m/s^2)	0.0	0.7	−3.4	−0.2	0	0.2	3.4
车头间距/m	18.9	8.8	6.5	12.9	17.1	22.7	80.0
前导车速度/(m/s)	7.8	4.0	0.0	4.7	7.9	10.8	22.1
前导车加速度/(m/s^2)	0	0.7	−3.4	−0.2	0	0.2	3.4

注：Q1 表示第一四分位数；Q3 表示第三四分位数。

2.3 跟驰行为关键参数的统计特征

为分析车辆跟驰期间的交通流特性，本节同时选取 US-101 数据集（包含非跟驰车辆的数据）作为对比，以探讨车辆跟驰期间的交通流特性和常规交通流特性的异同。对于跟驰行为关键参数的统计分布分析主要分为三个视角：总体分布特征、不同车道的分布特征和不同跟驰时长的分布特征。

2.3.1 关键参数总体分布特征

总体分布特征视角旨在对比分析研究路段内整体的交通流特性与跟驰条件下的交通流特性之间的差异。根据 US-101 数据集和有效跟驰数据集可分别获得速度、加速度和车头间距的总体分布特征，并利用不同类型的正态分布函数拟合出相应的概率密度曲线，如图 2.9 所示。标准的正态分布的概率密度函数如式（2.28）所示。

$$f(x, \mu, \sigma)=\frac{1}{\sigma\sqrt{2\pi}}\exp\left[-\frac{(x-\mu)^2}{2\sigma^2}\right] \tag{2.28}$$

式中，μ 为均值；σ 为标准差；σ^2 为方差。

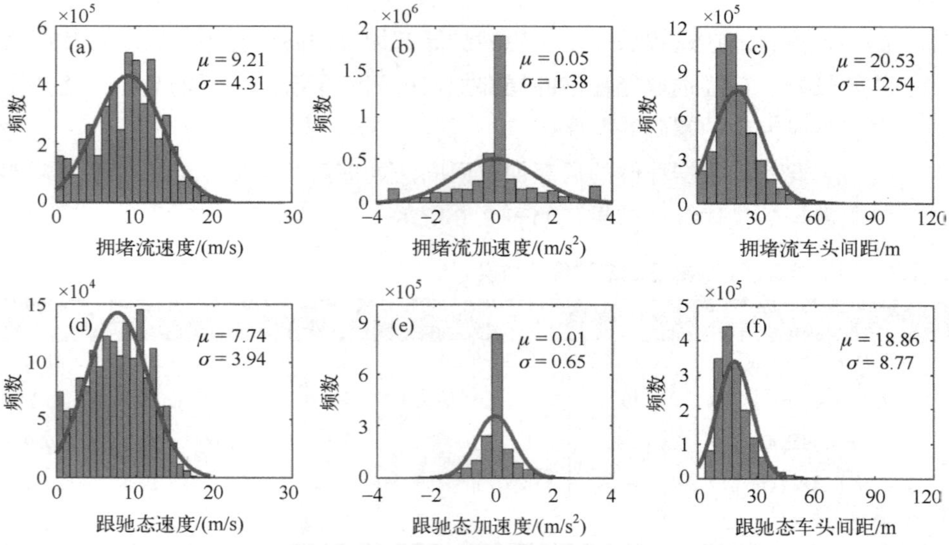

图 2.9 研究路段内交通流与跟驰条件下交通流特性的统计分布对比

从图 2.9 可看出，拥堵条件下整体交通流特性和跟驰条件下的交通流特性基本一致，尤其加速度和车头间距分布较为接近，速度分布稍有差异。这是由于无论车辆是否处于跟驰条件下，在拥堵态下车辆加速度和车头间距可变的范围非常有限，导致两种交通状态下的分布较为接近。但对于速度而言，在自由流状态和跟驰状态的变化规律则不同，由于受到前车影响，跟驰车速度往往波动较小，不易出现较大速度值，如在图 2.9（a）和（d）中跟驰态的最大速度明显小于拥堵流的最大速度。

2.3.2 不同车道的分布特征

不同车道的分布特征视角旨在以车道为基本单位，以分析不同车道之间的交通流特性是否存在异同，以及讨论跟驰车道是否对跟驰行为产生影响。US-101 中车道布置如图 2.10 所示。通过对 5 个车道中跟驰态下的交通流特性进行分析，可得不同车道下的统计分布特征，如图 2.11 所示。

图 2.10　US-101 研究路段内车道编号及布局

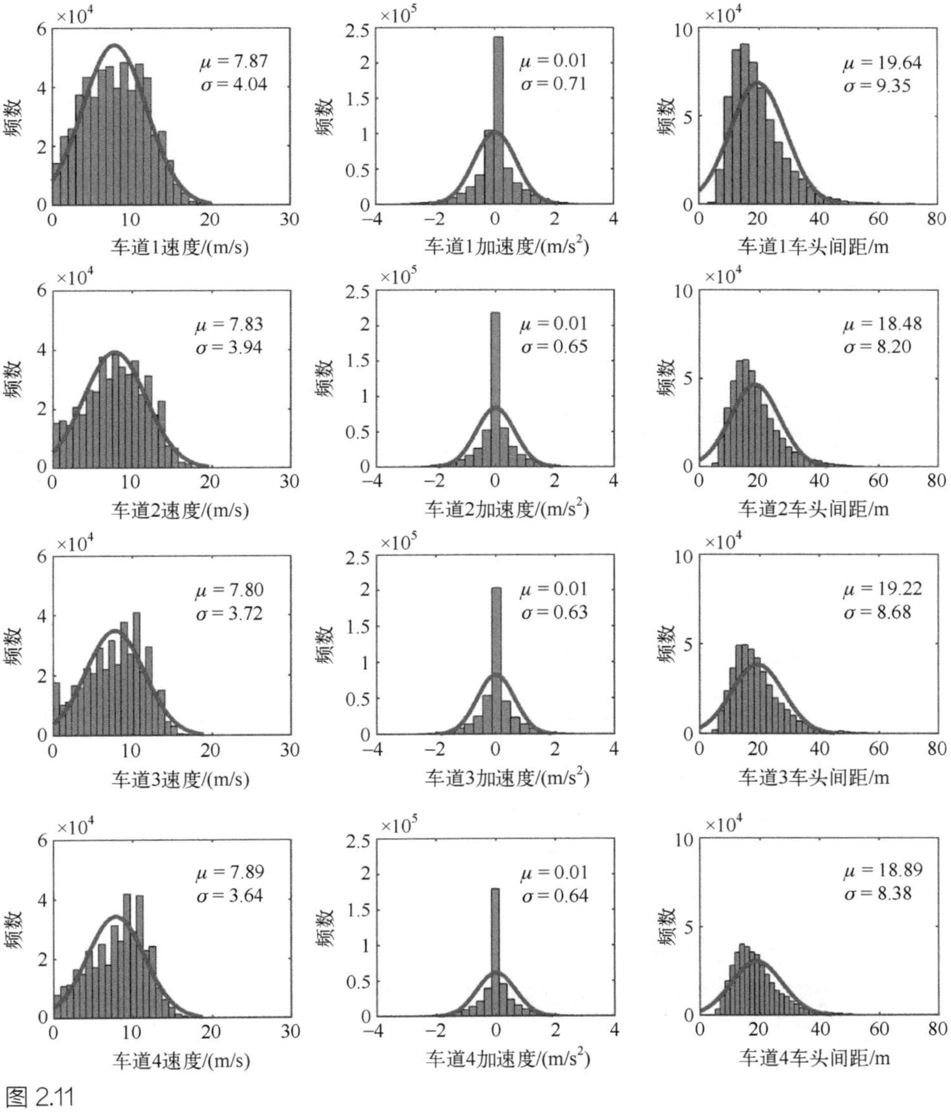

图 2.11

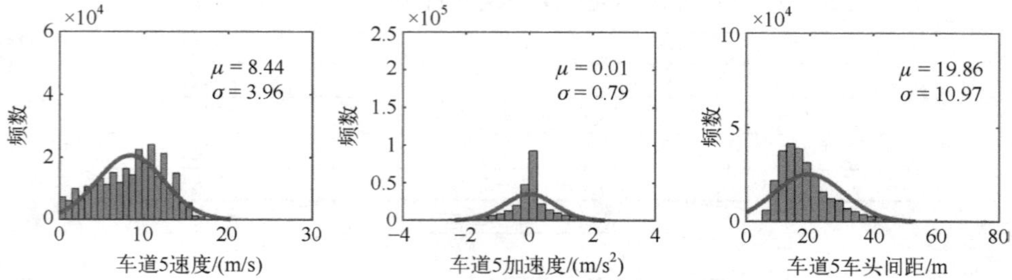

图 2.11 跟驰条件下不同车道交通流特性的统计分布对比

通过图 2.11 可看出，对于速度，车道 1～4 的分布特征基本一致，速度均值维持在 7.8m/s 左右，而车道 5 的速度均值维持在 8.4m/s 左右；对于加速度，跟驰条件下不同车道的加速度并无显著差异，均值基本维持在 0.01m/s^2 左右；对于车头间距，车道 1、3 和 5 的均值保持在 19.2m 以上，而车道 2、4 则保持在 19.0m 以下。

此外，除上述差异外，可明显看出车道 1～5 的数据分布数量依次变少，即车道 1～5 内的跟驰组数量是逐次减少的，该现象可结合图 2.10 来解释。由于车道 5 最靠近匝道出入口，因此车辆在跟驰行驶时基本会避开该区域，并且匝道出入口对各个车道的影响沿车道 5 至车道 1 逐次减弱，所以导致车道 1 的跟驰数据最多，车道 5 的跟驰数据最少。

总体来看，各个车道的速度、加速度和车头间距分布规律差异并不显著，在分析跟驰特性时车道属性不会对分析结果产生影响。

2.3.3 不同跟驰时长的分布特征

不同跟驰时长的分布特征分析则以跟驰时长作为分类依据，从而利用有效数据集探讨在不同的跟驰时长下跟驰行为是否存在差异，及其是否对跟驰行为的分析产生影响。因此，本节统计全体跟驰数据（不限制跟驰时长）并将统计结果汇总如表 2.7 所示，各个车道和整个研究路段的跟驰时长分布如图 2.12 所示。

表 2.7 全体跟驰数据中跟车持续时长的统计结果　　单位：s

项目	跟驰组数	平均值	最小值	Q1	中位数	Q3	最大值
车道 1	1364	64.5	0.1	39.3	62.4	84.9	232.6
车道 2	1838	48.9	0.1	16.6	43.4	71.1	238.5

续表

项目	跟驰组数	平均值	最小值	Q1	中位数	Q3	最大值
车道 3	1813	44.0	0.1	11.9	36.1	66.7	248.9
车道 4	2072	39.5	0.1	10.2	30.6	59.0	211.6
车道 5	2374	30.0	0.1	10.0	21.7	42.1	154.8
整个研究路段	9461	43.4	0.1	12.6	36.0	64.5	248.9

注：Q1 表示第一四分位数；Q3 表示第三四分位数。

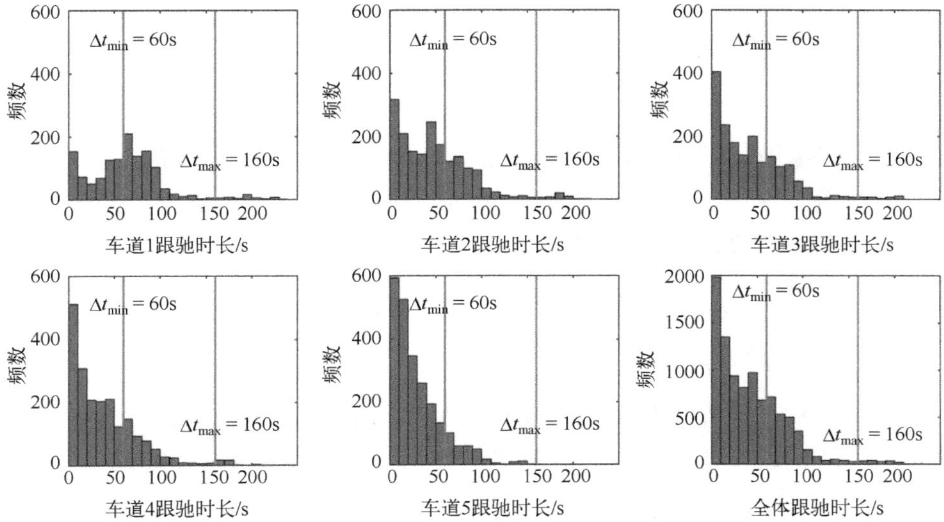

图 2.12　不同车道及整个研究路段的跟驰时长统计分布

由表 2.7 可知，自车道 1 至车道 5 的跟驰组数量呈依次增加的趋势，但其平均值、各分位数及最大跟驰时长却在逐渐减小，说明车道位置对跟驰时长具有显著的影响作用。从图 2.12 可进一步看出，随着车道逐渐靠近匝道，短时间的跟驰现象逐渐增多。这是因为越靠近匝道的车道内部中，车辆的换道越频繁，导致跟驰状态不能长时间维持。因此，考虑到车辆跟驰时长较短的情况下无法完全反映跟驰行为，结合表 2.7 和图 2.12 的分析结果，本书将有效跟驰时长限定在 60～160s 之间，从而保证这些时段内的跟驰数据能够充分表达跟驰特性。

此外，根据跟驰数据的总体分布特征、不同车道的分布特征和不同跟驰时长的分布特征的对比分析结果，进一步验证了跟驰数据筛选与降噪处理中遴选阈值的正确性和合理性，从而保证了筛选跟驰数据的可靠性与有效性，且能够充分用于后续跟驰行为研究。

2.4 跟驰行为关键因素识别与分析

为分析各个变量之间的相关性，本节从跟驰数据的几何特征、数学特征、统计学特征等多个维度进行探讨，选择的分析方法主要有皮尔逊相关系数、最大互信息系数和灰色关联分析。

2.4.1 皮尔逊相关系数

皮尔逊相关系数（Pearson Correlation Coefficient），简称 Pearson 相关系数，它是用于衡量两个变量 X 与 Y 的线性相似度的方法，一般记为 $\rho(X, Y)$ 。Pearson 相关系数与两个变量之间的协方差密切相关，首先给出协方差的计算公式：

$$\mathrm{COV}(X, Y)=\frac{1}{n-1}\sum_{i=1}^{n}(X_i-\overline{X})(Y_i-\overline{Y}) \tag{2.29}$$

式中，$\mathrm{COV}(X, Y)$ 为变量 X 与 Y 的协方差；$\overline{X}$ 和 $\overline{Y}$ 分别为两个变量的平均值。当 X 与 Y 相等时便转化为方差的计算公式。

由式（2.29）可知，当 X_i 大于 $\overline{X}$ 时，对应的 Y_i 也大于 $\overline{Y}$；当 X_i 小于 $\overline{X}$ 时，对应的 Y_i 也小于 $\overline{Y}$。此时，说明变量 X 与 Y 的变化趋势一致，那么 $\mathrm{COV}(X, Y)$ 为正值；反之，$\mathrm{COV}(X, Y)$ 为负值。进一步，给出 Pearson 相关系数的计算公式：

$$\rho(X, Y)=\frac{\sum_{i=1}^{n}(X_i-\overline{X})(Y_i-\overline{Y})}{\sqrt{\sum_{i=1}^{n}(X_i-\overline{X})^2}\sqrt{\sum_{i=1}^{n}(Y_i-\overline{Y})^2}}, \rho\in[-1, 1] \tag{2.30}$$

由式（2.30）可知，Pearson 相关系数值定义为变量 X 与 Y 的协方差除以它们的标准差之积。这样设计的原因是，协方差受到量纲的影响使其难以有效反映两个变量之间的相关性，故需引入标准差消除量纲的影响，从而得到更加可信的相关系数。此外，从式（2.30）可看出，$\rho(X, Y)\in[-1, 1]$ ，$|\rho(X, Y)|$ 越大，说明变量 X 与 Y 的相关性越强；$|\rho(X, Y)|$ 越接近于 0，说明变量 X 与 Y 的相关性越弱。因此，根据式（2.30）可计算出单个跟驰组中各变量之间的 Pearson 相关系

数。然后，对全体跟驰组相关性分析的结果求均值，可得如图 2.13 所示的计算结果。图中：下标 f 代表跟驰车，下标 p 代表前导车，如 v_f 表示跟驰车速度，a_f 表示跟驰车加速度，Δx 表示车头间距。

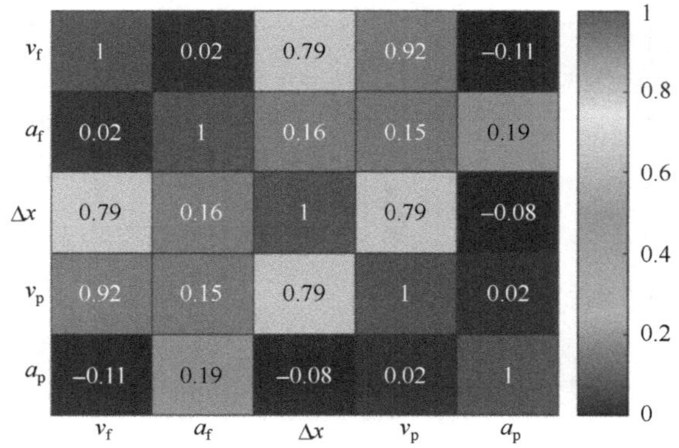

图 2.13 各变量的 Pearson 相关系数（均值）

因此，可由图 2.13 知，跟驰车速度与车头间距、前导车速度的相关性较高，相关系数依次为 0.79、0.92；然而，跟驰车加速度与车头间距、前导车速度的相关性却较低，相关系数依次为 0.16、0.15。此外，车头间距与前导车速度的相关性较高，相关系数为 0.79，与跟驰车速度和车头间距的相关系数一致，说明跟驰车速度、车头间距及前导车速度之间的相关性较强。

另外，为观察 5 组显著性水平较高变量之间的相关系数统计分布，将全体跟驰组中的 Pearson 相关系数绘制如图 2.14 所示。从图中可看出，跟驰车速度与车头间距、跟驰车速度与前导车速度、车头间距与前导车速度的相关系数较高，大多分布在 0.7 以上；然而，跟驰车加速度与车头间距、跟驰车加速度与前导车速度的相关系数却较低，大多分布于 0.2 左右。

通过上述结果可发现，车头间距和前导车速度对跟驰车的速度影响较大，而它们与跟驰车加速度却无明显相关性。出现该结果的原因可能是：由于 Pearson 相关系数判定的是两个变量是否线性相关，而跟驰车加速度与车头间距、前导车速度可能为非线性关系，因此导致它们之间的 Pearson 相关系数较小；而跟驰车速度与车头间距、前导车速度之间的线性关系可能较为明显，从而使得它们的 Pearson 相关系数较大。

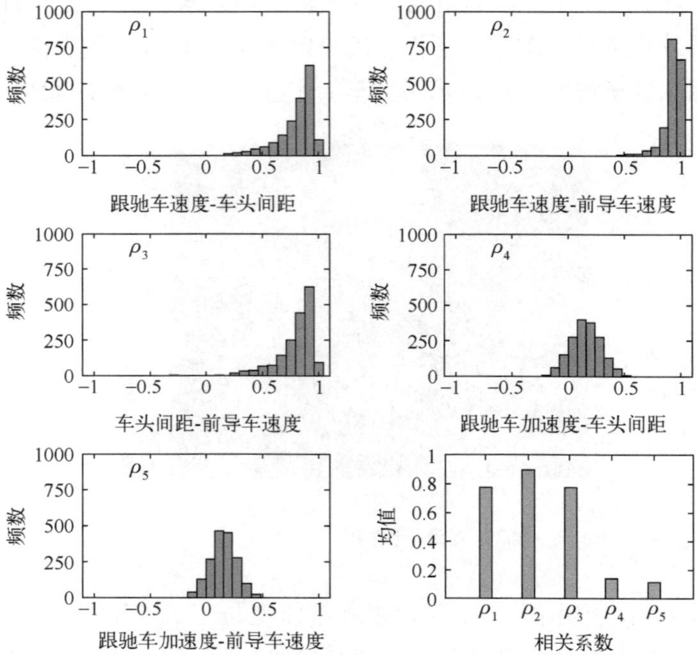

图 2.14　显著性水平较高变量之间的 Pearson 相关系数统计分布

2.4.2　最大互信息系数

最大互信息系数（Maximal Information Coefficient，MIC），最早由 Reshef 等提出[144]。MIC 是用于度量两个变量 X 与 Y 之间相关性的指标，对线性数据或非线性数据均适用，该方法具有普适性、公平性和对称性特点。MIC 假定存在两个随机变量 X 与 Y，将其离散在二维空间中，并沿 x 和 y 的方向使用 $m\times n$ 的网格划分二维空间，并计算变量 X 与 Y 落入这些区间的联合概率，进而计算互信息值 I，其计算公式如式（2.31）所示：

$$I(X,Y)=\sum p(x,y)\lg\left(\frac{p(x,y)}{p(x)p(y)}\right) \tag{2.31}$$

式中，$p(x, y)$ 为 X 和 Y 的联合概率；$p(x)$ 和 $p(y)$ 分别为 X 和 Y 的边际概率。

然后，对求得的最大互信息值进行归一化处理，即除以 $\lg[\min(|X|,|Y|)]$，便可得到一个最大互信息系数，计算公式如式（2.32）所示：

$$\mathrm{MIC}[x,y]=\max_{|X||Y|<B}\frac{I(X,Y)}{\lg[\min(|X|,|Y|)]},\mathrm{MIC}\in[0,1] \tag{2.32}$$

式中，B 为二维空间的网格数上限值，一般 $B=n^{0.6}$，n 为数据量。

最后，由于 $m\times n$ 网格划分二维空间的方式存在若干种，故可分别求得不同划分方式下的最大互信息系数，以求得所有值的最大值作为最终 MIC 值。因此，根据式（2.31）和式（2.32）可求得单个跟驰组中各变量之间的 MIC 值，然后重复计算所有跟驰组的 MIC 值，并计算各变量之间的 MIC 的平均值，可得如图 2.15 和图 2.16 所示的计算结果。

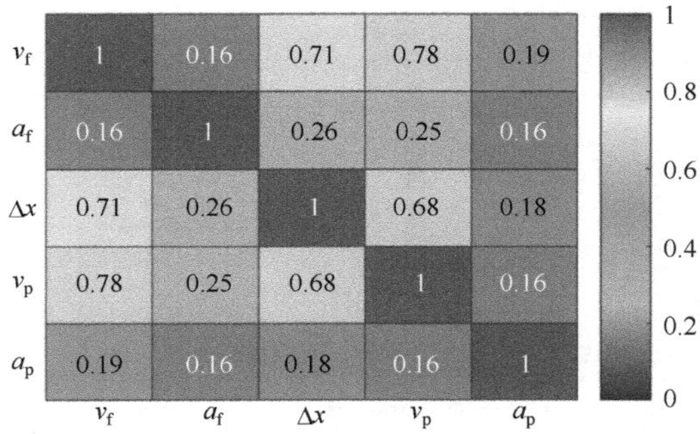

图 2.15　全体跟驰组中各变量之间的最大互信息系数（均值）

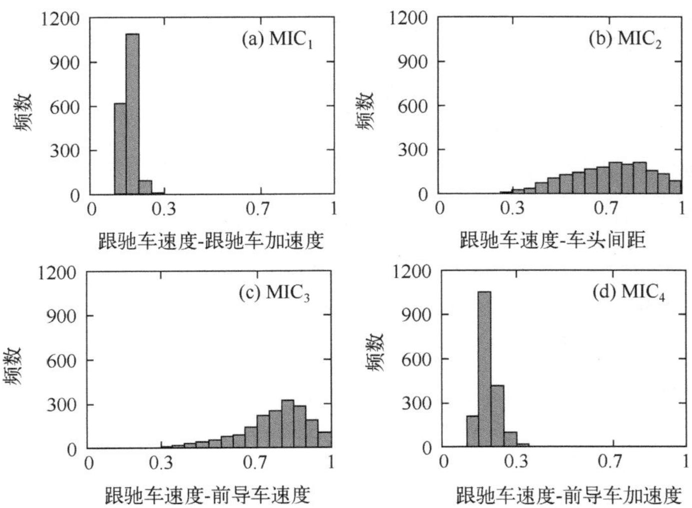

图 2.16

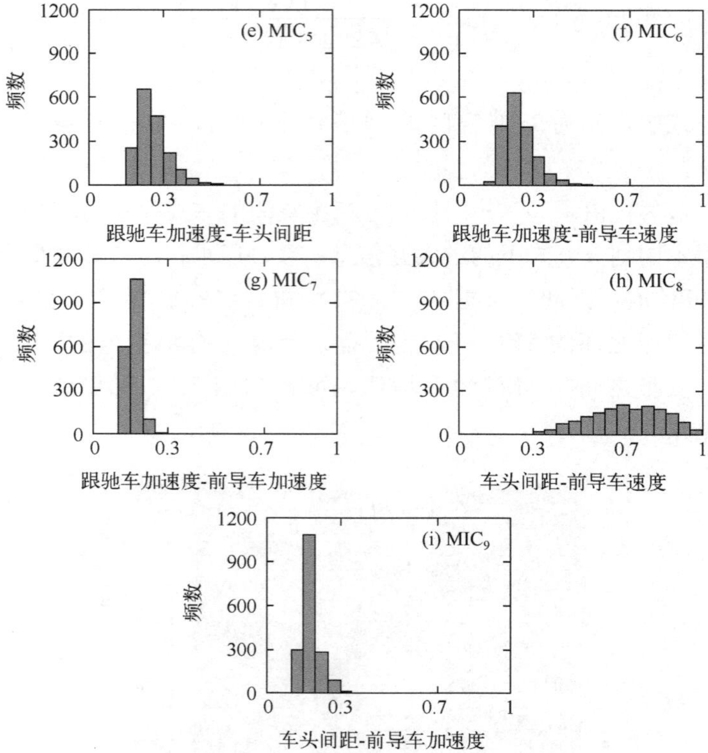

图 2.16　全体跟驰组中各变量之间的最大互信息系数统计分布

由图 2.15 可知，跟驰车速度与车头间距（MIC_2）、跟驰车速度与前导车速度（MIC_3）、车头间距与前导车速度（MIC_8）的相关系数较高，最大互信息系数的平均值基本分布在 0.7 以上，其他因素之间的最大互信息系数平均值则较小。从图 2.16 可更加直观地观察到该结果，相比于其他因素组合，上述三种因素组合的最大互相关系数更多分布于 0.3～1 之间，而其他因素组合的最大互信息系数则更多分布于 0～0.3 之间。此外，对比 Pearson 相关系数结果可以发现，两种不同指标下的评估结果基本一致，这是由于上述两种方法在计算相关系数方面较为相似，故需要采用更加合理的相关性分析方法进行对比分析，以确定影响跟驰行为的主要因素。

2.4.3　灰色关联分析

不同于 Pearson 相关系数和最大互信息系数，灰色关联分析（Grey

Relational Analysis，GRA）[145]，是一种用于评估动态系统发展趋势的定量计算方法。该方法的基本原理是通过确定参考数据列 Y 和若干个比较数据列 X_i 的几何形状相似程度来判断变量之间联系是否紧密，它以关联度值 r 来表征关联程度，关联度值越大说明变量之间的联系越紧密。

灰色关联度的计算流程为：

给定参考数据列 Y 和比较数据列 $X=\{X_i \mid i=1, 2, \cdots, k\}$，如式（2.33）所示：

$$\begin{cases} Y=\{Y(k) \mid k \in \mathbb{Z}^{+}\} \\ X=\{X_i(k) \mid k \in \mathbb{Z}^{+}\} \end{cases} \tag{2.33}$$

式中，k 为时间，s；$\mathbb{Z}^{+}$ 为正整数集合；i 为不同的比较数据列编号。

由于参考数据列和比较数据列的量纲不同，需对各数据列进行归一化处理，如式（2.34）所示：

$$\begin{cases} y(k)=\dfrac{Y(k)-Y^{\min}}{Y^{\max}-Y^{\min}} \\ x_i(k)=\dfrac{X_i(k)-X_i^{\min}}{X_i^{\max}-X_i^{\min}} \end{cases} \tag{2.34}$$

式中，$Y^{\min}$、$Y^{\max}$ 分别为参考数列 Y 中的最小值和最大值；$X_i^{\min}$、$X_i^{\max}$ 分别为第 i 个比较数列 X_i 中的最小值和最大值。

根据数据归一化处理后的结果，可计算出灰色关联系数 $\xi_i(k)$，其计算公式如式（2.35）所示：

$$\xi_i(k)=\frac{\min\limits_i\min\limits_k|y(k)-x_i(k)|+\rho\max\limits_i\max\limits_k|y(k)-x_i(k)|}{|y(k)-x_i(k)|+\rho\max\limits_i\max\limits_k|y(k)-x_i(k)|} \tag{2.35}$$

式中，$\rho \in (0, 1]$，称为分辨系数，通常取值为 0.5。$\max\limits_i \max\limits_k$ 表示先计算内层所有下标为 k 的变量的最大值，而后计算外层所有下标为 i 的最大值，$\min\limits_i \min\limits_k$ 同理。

然后，记 $\Delta_i(k)=|y(k)-x_i(k)|$，可得式（2.36）：

$$\xi_i(k)=\frac{\min\limits_i\min\limits_k\Delta_i(k)+\rho\max\limits_i\max\limits_k\Delta_i(k)}{\Delta_i(k)+\rho\max\limits_i\max\limits_k\Delta_i(k)} \tag{2.36}$$

最终，可依据式（2.36）求得灰色关联度 r_i。

$$r_i = \frac{1}{t}\sum_{k=1}^{t}\xi_i(k) \tag{2.37}$$

式中，k 为属于 1 到 t 之间的整数。

根据式（2.33）～式（2.37）可逐次计算出单个跟驰组中各变量之间的灰色关联度，然后以组为单位逐次迭代计算每个跟驰组中各变量之间的灰色关联度，最后求得全体跟驰组中各变量之间灰色关联度的平均值。于是，可得图 2.17 和图 2.18 所示的计算结果。

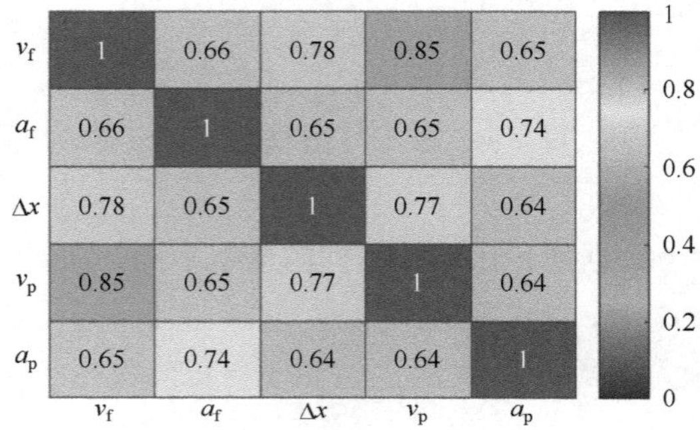

图 2.17　全体跟驰组中各变量之间的灰色关联度（均值）

由图 2.17 和图 2.18 可看出，跟驰车速度与车头间距（r_2）、跟驰车速度与前导车速度（r_3）、车头间距与前导车速度（r_8）的灰色关联度较大，这与实际的驾驶体验是一致的。在实际驾驶过程中，跟驰车的速度非常依赖于与前导车的相对距离，这也是驾驶人可以直观感受到的。另一方面，跟驰车驾驶人对前导车速度的变化也较为敏感，当前导车速度增加时，往往跟驰车随之加速行驶，反之亦然。此外，从上述三组变量之间的相关性来看，其结果与 Pearson 相关系数和最大互信息系数的结果基本一致。

但是，其他因素的关联度与上述两种方法的结果却相差较大。例如在 Pearson 相关系数和最大互信息系数的结果中，跟驰车速度与前导车加速度（r_4）、跟驰车加速度与车头间距（r_5）、跟驰车加速度与前导车速度（r_6）、跟驰车加速度与前导车加速度（r_7）的相关性极低，相关系数基本分布在 0.15 左右，而这些因素之间的灰色关联度却基本分布在 0.7 左右，这进一步证明加速度与这些因素之间呈现非线性关系。

以跟驰车加速度与前导车加速度（r_7）的相关性来分析，在跟驰条

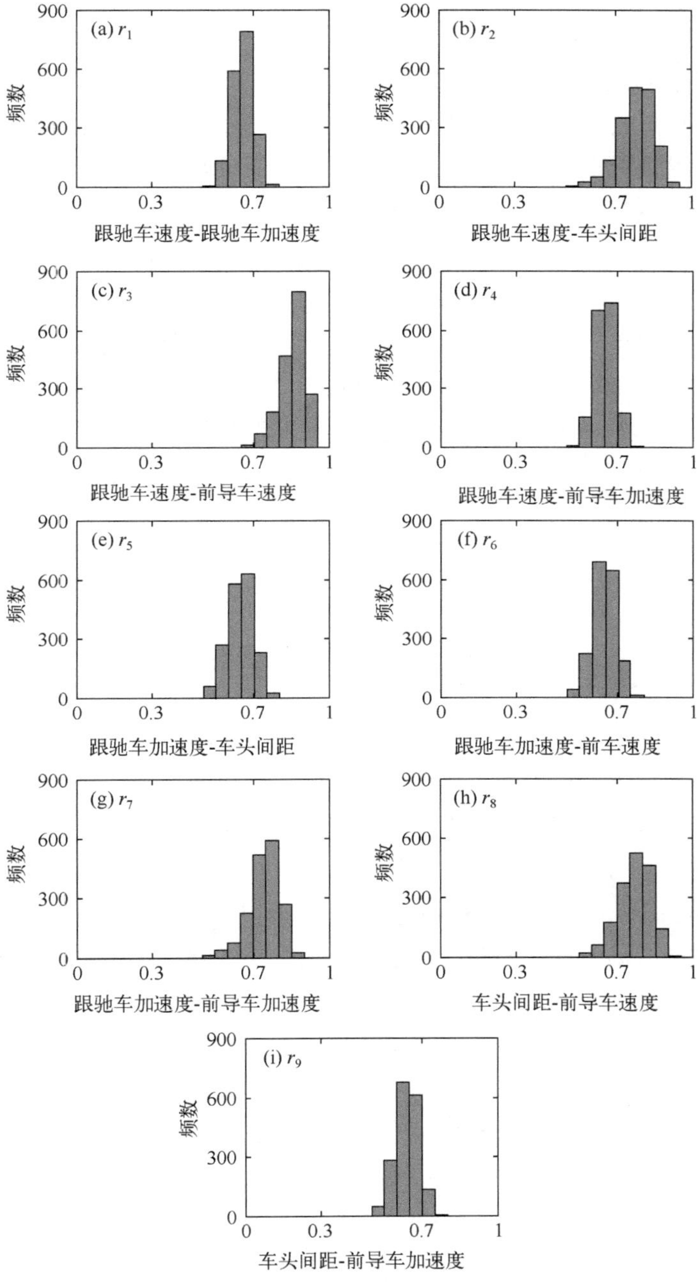

图 2.18 全体跟驰组中各变量之间的灰色关联度统计分布

件下由于车速较低，因此跟驰车的加速度与前导车的加速度变化趋势较为相似。即当前导车加速行驶时，跟驰车也随之加速行驶，反之亦然，但这个过程中存在延迟效应。对于 Pearson 相关系数和最大互信息系数来说，它们仅关心变量之间的相关性，而不关心动态发展趋势的相关性，因此也就无法确定类似于跟驰车加速度与前导车加速度之间的这种相关性。然而，灰色关联度却能够很好地反映出各变量在动态发展中的联系紧密程度，进而挖掘出影响跟驰行为的主要因素。

综上所述，通过三种不同的相关性分析方法可发现：①影响跟驰车速度的因素主要有前导车速度和车头间距；②影响跟驰车加速度的因素则主要是前导车加速度，前导车速度和车头间距次之。此外，结合已有文献的结果可知，一些间接因素也可能影响跟驰车的速度或者加速度，例如速度差、加速度差、多前车车头间距等等，这些因素实际上是上述相关性分析中显著水平较高的因素组合。为保证本书的连贯性，这些组合因素将在后续章节中给予详细的分析和讨论。

本章小结

本章以 NGSIM 项目采集的车辆轨迹数据作为原始数据集，通过开发程序用于筛选跟驰数据，并基于马氏距离和稳健的局部加权回归方法对其进行降噪和平滑处理，得到了有效的跟驰数据，最后对有效跟驰数据展开了初步的分析。对于数据降噪，通过对比分析移动平均法、Savitzky-Golay 滤波法和稳健的局部加权回归法后发现：使用马氏距离与稳健的局部加权回归方法组合处理后的数据，最符合真实跟驰行为特征，即处理后的数据是有效的。

对于跟驰行为关键参数统计特征分析发现：跟驰态与非跟驰态下的交通流特性基本一致，尤其加速度和车头间距分布较为接近，速度分布稍有差异；不同车道中跟驰态下的速度、加速度和车头间距分布规律差异并不显著，在分析跟驰行为时车道属性不会对分析结果产生影响；不同跟驰时长下的交通流特性并无显著差异，但不同车道中的跟驰时长分布却存在显著差异，这在建模时值得注意。对于跟驰行为关键因素识别与分析，通过对比分析皮尔逊相关系数、最大互信息系数和灰色关联分析的结果可发现：对于跟驰车速度，对其具有显著影响的因素包括车头间距和前导车速度，这些因素之间多呈线性关系；对于跟驰车加速度，对其具有显著影响的因素包括前导车加速度、速度差，而前导车速度和车头间距次之，而这些因素之间常常呈非线性关系。

通过上述数据筛选、降噪、分析等，为后续建立可靠的跟驰模型奠定了良好的数据基础。未来应扩大跟驰数据量及数据覆盖的场景，车辆跟驰行为可发生于任意等级的道路中，而不同等级道路中的跟驰行为可能存在不同。但本书受限于多方面因素，仅遴选了高速公路的跟驰数据，未来应大量采集城市中不同等级道路中的跟驰数据，甚至更需采集智能网联环境下的跟驰数据，以建立更加全面、丰富的跟驰数据库，从而构建更加先进的跟驰模型。

第3章

车头间距和前车速度对跟驰行为影响分析

通过分析现有跟驰模型中的优化速度函数可知其考虑因素较为单一，难以反映多边际条件下的交通情形，因此根据数据分析结果建立了考虑车头间距与前车速度影响的优化速度函数。使用有效跟驰数据对新函数及对照函数进行参数标定和对比分析，以验证新函数的有效性，并基于新函数进一步构建考虑车头间距与前车速度影响的跟驰模型，使用有效数据对跟驰模型的参数进行了标定。最后，从改进模型的速度、加速度分布与实测数据分布差异、改进模型的预测误差及其油耗和排放等方面展开分析，探讨车头间距与前车速度对跟驰行为的影响。

3.1 两类经典的优化速度函数

3.1.1 双曲正切型优化速度函数

Bando 等[15]最先提出优化速度跟驰模型的原型，该模型的表达式如式（3.1）所示：

$$\frac{\mathrm{d}v_n(t)}{\mathrm{d}t}=k\left[V(\Delta x(t))-v_n(t)\right] \tag{3.1}$$

式中，k 为敏感系数；t 为车辆的运动时间；$V(\Delta x(t))$ 为优化速度函数；$\Delta x(t)$ 为车头间距；v_n 为跟驰车速度。

在式（3.1）中，Bando 等认为每辆车均存在一个取决于紧邻前车车头间距的最优跟驰速度。当跟驰车和前导车的车头间距缩小时，跟驰车的驾驶人必须将车速降低至足以防止与前导车碰撞的水平；当车头间距增大时，跟驰车可在有限的速度区间内逐渐提升车速。也就是说，最优跟驰速度是关于车头间距的函数，用来描述前导车对跟驰车的刺激，称为优化速度函数（Optimal Velocity Function，OVF）。该优化速度函数常被用于跟驰模型中，表达式如式（3.2）所示。为便于叙述，将其记为 Helbing-Tilch OVF。

$$V(\Delta x(t))=V_1+V_2\tanh\left[C_1(\Delta x(t)-l_c)-C_2\right] \tag{3.2}$$

式中，l_c 为车辆长度；V_1、V_2、C_1 和 C_2 为待标定参数。

3.1.2 对数型优化速度函数

随后领域内的学者对优化速度函数进行了诸多改进工作，但主要是基于式（3.2）进行改进优化。然而，杨龙海等[146]的研究不同于上述工作，他们利用实测跟驰数据建立了新的优化速度函数，并标定了参数，如式（3.3）所示。为便于叙述，将其记为 Yang OVF。

$$V(\Delta x(t)) = m\ln\left(\frac{\Delta x(t)}{n}\right) \tag{3.3}$$

式中，m 为非零常数，其标定值为 $m=8.83$；n 为等效车长，即车辆长度加上停车时的最小安全车辆间距，n 取值为 5.5m[146]。

3.1.3 传统优化速度函数存在的问题

通过分析以上两个优化速度函数可知：对于式（3.2），当车头间距 $\Delta x(t)=l_c$ 时，可得式（3.4）：

$$V(l_c) = V_1 + V_2\tanh(-C_2) \tag{3.4}$$

根据 Helbing 等[38]标定的参数代入式（3.4），可得式（3.5）：

$$V(l_c) < 0 \tag{3.5}$$

由式（3.5）可知，当车头间距 $\Delta x(t)=l_c$ 时，式（3.2）的结果出现负值，即车辆可能出现倒车现象，不符合实际情形。

对于式（3.3），当车头间距 $\Delta x(t)=n$ 时，可得式（3.6）：

$$V(n) = 0 \tag{3.6}$$

由式（3.6）可知，此时车辆速度降为零，同样与实际情形不符。因为高峰时车辆在跟驰过程中，当紧邻两车车头间距为等效车长时，跟驰车速度不一定为零，而是可能以低于前导车速度的某一速度继续跟车行驶。

通过回顾上述与优化速度函数直接相关的研究成果可发现，先前少见有学者考虑前车速度对优化速度的影响。另外，上述两个优化速度函数式（3.2）和式（3.3）中当前时刻的最优跟驰车速均是通过当前时刻的车头间距进行计算的，其忽略了跟驰车受前导车影响的时间差。

因此，为论证改进优化速度函数的必要性，以及对比分析改进优化速度函数的性能，挑选上述两个经典的优化速度函数作为对照模型。

3.2 车头间距与前车速度影响的改进优化速度函数

3.2.1 改进优化速度函数构建

为克服上述两类优化速度函数存在的不足，本书采用车辆轨迹数据来探索影响优化速度的因素。由跟驰行为关键因素相关性分析可知：前导车速度、车头间距和跟驰车速度的关联度值较大，表明前导车速度、车头间距与跟驰车速度的关联性较为紧密；而速度差、前导车加速度与跟驰车速度的关联度值相对小一些，即关联性相对较小。

此外，在同一车道中，相同的车头间距或前导车速度对应多个跟驰车速度，这是因为驾驶人在不同交通状态下，对车头间距和前导车速度的敏感性不同，导致其采取不同的跟驰速度，这也充分说明跟驰车优化速度不能仅用车头间距来表达，而应综合考虑车头间距和前导车速度的共同影响作用。另外，从车头间距与跟驰车速度的相关性来看，两者更趋于对数关系，而前导车速度与跟驰车速度更趋于线性关系。

于是，考虑到前导车速度和车头间距对跟驰车速度具有重要影响，以及驾驶人在决策过程中存在时间差，本书基于 Helbing-Tilch OVF 和 Yang OVF 提出如式（3.7）所示的改进优化速度函数。为方便叙述，将式（3.7）记为 Improved OVF。

$$V(\Delta x, v_{n-1}) = \varphi \ln\left(\frac{\Delta x(t-T)}{\Delta x_{\text{safe}}}\right) + \xi v_{n-1}(t-T) \tag{3.7}$$

式中，T 为驾驶人延迟时间；φ 和 ξ 为待标定系数；Δx_{safe} 为最小安全车头间距；v_{n-1} 为前车速度。针对式（3.7），从数值的角度可以推导出其具备以下特性：

① 当 $\Delta x(t-T) = \Delta x_{\text{safe}}$ 时，即当 $t-T$ 时刻跟驰车与前导车的车头间距等于最小安全车头间距时，由式（3.7）可得到式（3.8）：

$$V(\Delta x, v_{n-1}) = \xi v_{n-1}(t-T) \tag{3.8}$$

式（3.8）反映了当跟驰车和前导车的车头间距达到跟驰车驾驶人期望的最小值时，跟驰车对前导车的车头间距敏感性降到最小，此时跟驰车速度仅取决于前导车的速度。

② 当 $v_{n-1}(t-T) = 0$ 时，由式（3.7）可得到式（3.9）：

$$V(\Delta x, v_{n-1}) = \varphi \ln\left(\frac{\Delta x(t-T)}{\Delta x_{\text{safe}}}\right) \tag{3.9}$$

式（3.9）反映了在 $t-T$ 时刻前导车速度降低至零时，跟驰车速度仅取决于车头间距。即当车头间距足够大且前导车速度为零时，跟驰车速度不会立即降低到零，而是逐渐降低；当车头间距趋于最小车头间距，且前导车速度为零时，跟驰车速度需降低为零。

3.2.2 改进函数参数标定

（1）改进优化速度函数参数标定

首先，对改进优化速度函数进行参数标定，可先将改进优化速度函数进行线性化处理，然后使用多元回归方法求得方程的参数值。于是，令：

$$Y^i = V(\Delta x, v_{n-1}),\ X_1^i = \ln\left(\frac{\Delta x(t-T)}{\Delta x_{\text{safe}}}\right),$$

$$X_2^i = v_{n-1}(t-T),\ \varphi = \alpha_1,\ \xi = \alpha_2 \tag{3.10}$$

则可将改进优化速度函数方程线性化为式（3.11）：

$$Y^i = \alpha_1 X_1^i + \alpha_2 X_2^i \tag{3.11}$$

式中，α_1 和 α_2 为待标定的系数。

对于改进优化速度函数，当其车头间距等于最小安全车头间距及前导车速度为零时，跟驰车最优车速应为零。基于此临界条件，运用多元线性回归方法标定模型参数时，将常数项控制为零。标定参数时使用车道 1～4 筛选出的有效跟驰数据，车道 5 的跟驰数据用于验证模型性能。于是，可得到如表 3.1 所示的结果。

表 3.1 改进函数的参数标定结果

参数	标定值	t-值
α_1	3.426	397.99
α_2	0.865	2992.94
调整 R^2=0.97		

（2）双曲正切型优化速度函数参数标定

为使改进优化速度函数与两个经典优化速度函数在同等条件下进行对比，依据同样的跟驰数据来标定参数。为方便描述，令：

$$Y^i = V(\Delta x(t)) \tag{3.12}$$

将 $\Delta x(t) = \tanh[C_1(\Delta x(t) - l_c) - C_2]$ 作泰勒展开，忽略高次幂且保留前三项后，将其展开式和式（3.12）代入至式（3.2），可得到式（3.13）的近似表达式：

$$Y^i = \alpha_0 + \alpha_1 \Delta x(t)_i + \alpha_2 (\Delta x(t)_i)^3 + \alpha_3 (\Delta x(t)_i)^5 \tag{3.13}$$

式中，α_0、α_1、α_2 和 α_3 为待标定系数。

表 3.2 Helbing-Tilch OVF 的参数标定结果

参数	标定值	t-值
α_0	−9.317	−258.90
α_1	7.663	873.80
α_2	−3.303	−452.79
α_3	6.132	316.08
调整 $R^2=0.61$		

然后，利用多元线性回归方法，可求得式（3.13）中的参数估计值和显著性检验结果，如表 3.2 所示。然后，将 $\tanh[C_1(\Delta x(t)-l_c)-C_2]$ 的泰勒展开式代入至原方程式（3.2），可得 $\{\alpha_0, \alpha_1, \alpha_2, \alpha_3\}$ 与 $\{V_1, V_2, C_1, C_2\}$ 相对应的方程组，可求得式（3.2）的系数为：

$$V_1=8.373 \quad V_2=27.647 \quad C_1=0.013 \quad C_2=0.104 \tag{3.14}$$

（3）对数型优化速度函数参数标定

对于 Yang OVF，与上述标定方法相同，即对于式（3.3），可令：

$$\begin{cases} Y^i=V(\Delta x(t)) \\ X^i=\ln\left(\dfrac{\Delta x(t)}{n}\right) \end{cases} \tag{3.15}$$

于是，可将式（3.3）线性化为式（3.16）：

$$Y^i=mX^i \tag{3.16}$$

然后，运用一元线性回归方法并控制常数项为 0，使用车道 1～4 的跟驰数据标定参数后可得模型参数。另外，对参数的有效性进行显著性检验，得到调整后的 R^2 值为 0.89，标定结果如表 3.3 所示。

表 3.3 Yang OVF 的参数标定结果

参数	标定值	t-值
m	27.723	4585.64
调整 $R^2=0.89$		

3.2.3 性能验证与对比分析

（1）误差指标

为对照检验改进优化速度函数相较于 Helbing-Tilch OVF 和 Yang OVF 预测最优跟驰车速的有效性与准确性，选用以下三种检验方法作为评判标准。

① 平均相对误差（Mean Relative Errors，MRE）

$$\mathrm{MRE}=\frac{1}{N}\left(\sum_{i=1}^{N}\frac{|Y_i-X_i|}{Y_i}\right)\times 100\% \tag{3.17}$$

式中，N 为数据点个数；X_i 为模型预测的速度值；Y_i 为实测速度值。

② 均方根误差（Root Mean Square Errors，RMSE）均方根误差常用来检验一组预测值和观测值之间的差异，其数值越小表示模型的预测效果越好，均方根误差的计算公式如式（3.18）所示。

$$\mathrm{RMSE}=\sqrt{\frac{\sum_{i=1}^{N}(Y_i-X_i)^2}{N}} \tag{3.18}$$

③ 均等系数（Equal Coefficient，EC）均等系数表示模型预测值和实测值的拟合度，其取值区间为 0 到 1，一般 0.9 以上为较好的拟合，其表达式如式（3.19）所示。

$$\mathrm{EC}=1-\frac{\sqrt{\sum_{i=1}^{N}(Y_i-X_i)^2}}{\sqrt{\sum_{i=1}^{N}Y_i^2}+\sqrt{\sum_{i=1}^{N}X_i^2}} \tag{3.19}$$

（2）性能对比分析

通过运用独立于参数标定的跟驰数据，即车道 5 的有效跟驰数据来检验各个模型的误差度，然后把各个跟驰组的有效车辆跟驰数据代入改进函数和两个对照函数，可得到每个跟驰组相应的预测值，利用以上误差分析方法可计算出每个跟驰组预测值与观测值之间的误差度，统计结果汇总如表 3.4 所示，各评价指标的频率分布如图 3.1 所示。

表 3.4 预测性能对比分析统计结果

方法	指标	改进函数	Helbing-Tilch OVF	Yang OVF
MRE	最小值	3.30%	6.12%	5.93%
	Q1	8.21%	35.61%	18.79%
	均值	10.23%	45.24%	29.31%
	Q3	12.62%	45.76%	33.09%
	最大值	13.77%	55.57%	41.75%

续表

方法	指标	改进函数	Helbing-Tilch OVF	Yang OVF
RMSE	最小值	2.113	2.733	2.518
	Q1	3.966	12.286	8.139
	均值	4.763	16.821	10.833
	Q3	5.266	17.635	12.535
	最大值	5.941	22.292	15.410
EC	最小值	0.630	0.309	0.305
	Q1	0.914	0.623	0.762
	均值	0.933	0.711	0.835
	Q3	0.926	0.695	0.808
	最大值	0.947	0.775	0.882

注：Q1 表示第一四分位数，Q3 表示第三四分位数。

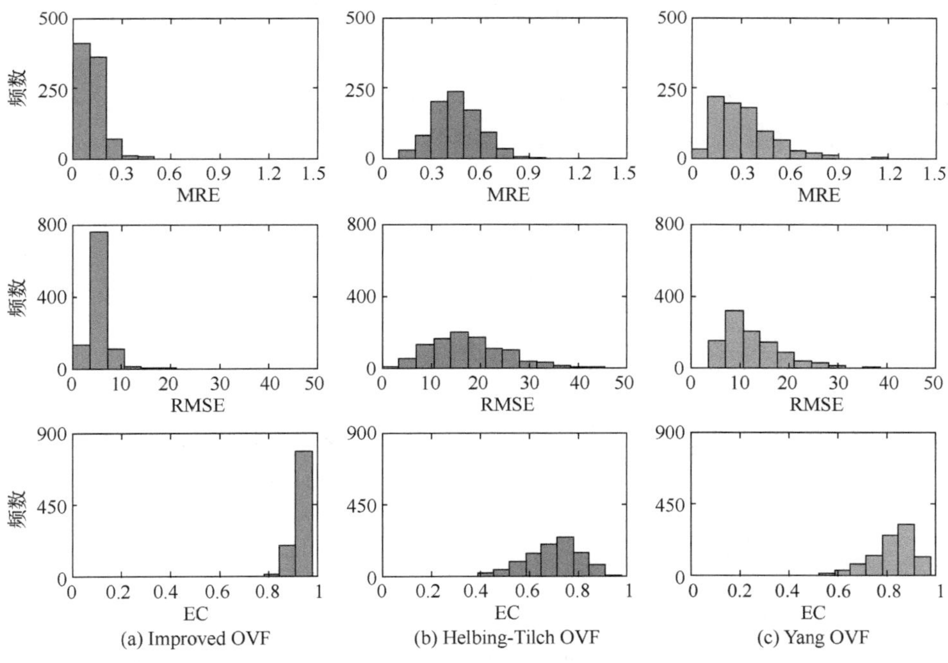

图 3.1　改进优化速度函数与对照速度函数的误差分析结果频率分布

由表 3.4 可知：改进的优化速度函数比两种对照优化速度函数预测值的各组平均相对误差值的平均值同比分别降低了 77.39%、65.10%，比两种对照优化速度函数预测值的各组均方根误差的平均值同比分别降低了 71.68%、56.03%，比两种对照优化速度函数预测值的各组均等系数的平均值同比分别提升了 31.22%、11.74%。并且，从三个指标的最小值、最大值来看，改进优化速度函数的指标均为最优结果。另外，从图 3.1 可以直观看出改进优化速度函数相比对照优化速度函数预测的各组平均相对误差值较多分布在 0.3 以下，预测的各组均方根误差值较多分布在 10.0 以下，预测的各组均等系数较多分布在 0.8 以上。

综上所述可知，与对照优化速度函数相比较而言，改进优化速度函数具备更多的优点。在函数特性方面，改进优化速度函数不仅考虑了车头间距对跟驰车速度的影响，还考虑了前导车速度和驾驶人响应时间，可以更加准确地反映真实情形。其次，改进优化速度函数可以描述车辆跟驰过程中更多的临界情形，如：

① 当两辆车的车头间距已经达到跟驰车驾驶人期望的最小值时，跟驰车不会立即停车，而是根据前导车的速度来进行动态决策，从而将车辆速度值调整至适合当前的运动环境；

② 当前导车速度为零时，此时提出的改进优化速度函数与 Yang OVF 较为相似，但改进模型中的车头间距为上一时刻的，其考虑到了驾驶人的反应时间，更能接近真实的情形。

以上结果可以充分说明改进优化速度函数相比对照优化速度函数不仅在函数自身属性上有较大优化，即克服了在一些边际条件下产生与实际不符现象的不足，而且改进优化速度函数的预测性能得到了大幅提升，使其预测的结果具备更小的误差。

3.3 考虑车头间距与前车速度影响的跟驰模型建立

3.3.1 跟驰模型的提出

通过第 1 章的文献综述发现：

① 现有的优化速度类跟驰模型中使用的优化速度函数均为 Helbing 等[38]标定后的，并未依据较新的数据验证该函数的可靠性；

② 这些研究大多未利用实测跟驰数据标定和验证跟驰模型的可靠性；

③ 现有研究中很少有考虑到驾驶人的操作响应时间对跟驰行为的影响，如图 3.2 所示。

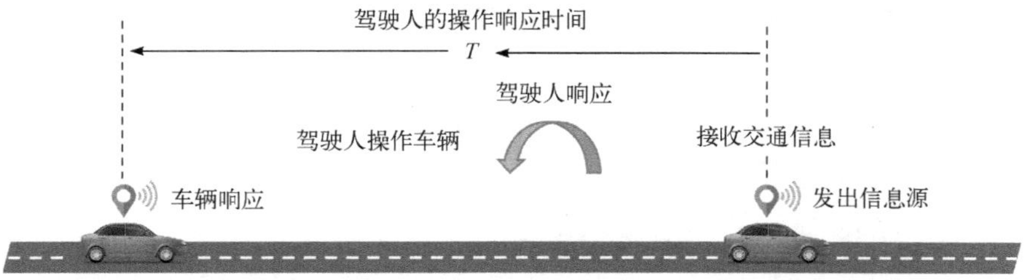

图 3.2 跟驰车驾驶人对前车刺激的操作响应过程

鉴于此，本节首先将上一小节提出的改进优化速度函数应用到跟驰模型中，同时考虑到加速度差的影响，建立一种基于改进优化速度函数和加速度差的跟驰模型，如式（3.20）所示。为便于描述，记为DORT（Driver′s Operational Response Time）模型。

$$\frac{dv_n(t)}{dt}=k\left[V(\Delta x,v_{n-1})-v_n(t-T)\right]+\lambda\Delta v(t-T)+\gamma\Delta a(t-T) \tag{3.20}$$

式中，T 为驾驶人的操作响应时间；γ 为待标定参数；$\Delta a(t-T)$ 为 $t-T$ 时刻的加速度差；$V(\Delta x,v_{n-1})$ 表示改进优化速度函数，如式（3.7）所示。

3.3.2 跟驰模型参数标定

跟驰模型参数标定主要是寻求一组最佳参数组合，使得模型的预测值和真实值之间的误差最小，常常使用最优化算法来解决该问题。由于遗传算法具有鲁棒性强、不易陷入局部最优等特点，本小节将利用遗传算法来寻求一组最佳参数，以达到最小化模型预测值和观测值差值的目的。

遗传算法是一种模仿生物进化过程的全局随机搜索方法，它通过随机产生若干个个体作为初始种群，然后计算每个个体的适应度。随着迭代次数的增加，找到全局最优解的概率随之增加，并且可以避免在局部最优解处停止迭代。因此，遗传算法被广泛用于估计跟驰模型的参数，遗传算法的计算流程如图 3.3 所示。

初始化参数。遗传算法中的初始参数分别设置为：种群规模为100，交叉概率为 0.8，变异概率为 0.2，进化代数 G 为 200。对于以上参数，种群规模决定了数据采样点的多少；交叉概率决定了交叉过程的频率和搜索效率；变异概率的设置使得种群更加多样性；而进化代数决

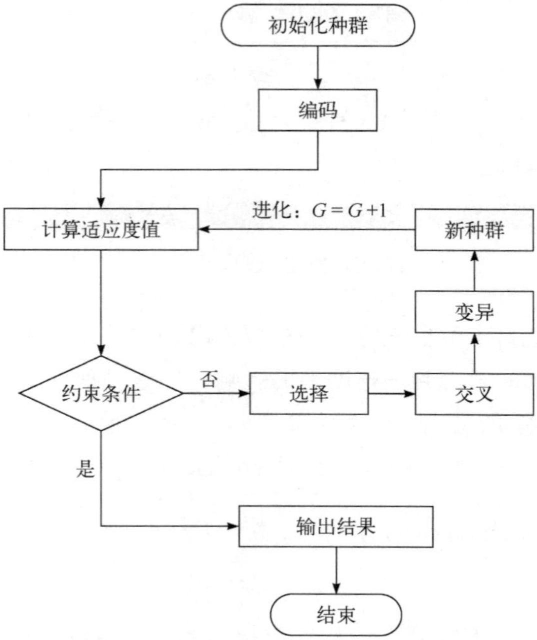

图 3.3　遗传算法的计算流程

定了遗传算法执行结束的条件。

在运用遗传算法标定跟驰模型参数时，目标函数被定义为模型预测值和观测值之间的差值。Kesting 等[147]认为当车辆轨迹数据用于标定跟驰模型参数时，选取车头间距作为评估指标可能更加合理。因为，随着车头间距预测值的逐步优化，速度预测值的平均误差常常是同步减小的，反之却不一定取得较好的效果。因此，本小节以车头间距作为评估模型性能的目标变量，选取均方根归一化误差（Root Mean Squared Normalized Error，RMSNE）作为优化目标函数，其表达式如式(3.21)所示：

$$\mathrm{RMSNE}=f(x)=\sqrt{\frac{1}{N}\sum_{i=1}^{N}\left(\frac{x_i^{\mathrm{pre}}-x_i^{\mathrm{obs}}}{x_i^{\mathrm{obs}}}\right)^2} \tag{3.21}$$

式中，i 为时刻；x_i^{pre} 为第 i 时刻车头间距的预测值；x_i^{obs} 为第 i 时刻车头间距的观测值；N 为观测值的总数量。

根据遗传算法的基本原理执行参数标定，标定时的数据选自第 2 章获得的有效跟驰数据，随机选取比例为 0.7。由于遗传算法是随机搜索算法，每次程序运行得到的最优解存在一定的差异，因此本次优化过程将取程序重复运行 30 次后的平均结果。最终，改进模型和对照模型的参数标定结果汇总如表 3.5 所示。

表 3.5 改进模型和对照模型参数标定结果

模型	参数值				
	k	λ	γ	φ	ξ
改进模型（DORT）	0.179	−0.237	0.382	0.985	0.952
对照模型（FVD）	0.224	−0.507			

3.4
跟驰模型的应用分析

根据表 3.5 中标定的参数，以及改进跟驰模型和对照模型的动态方程，来分别计算跟驰车的加速度，然后瞬时速度可根据以下公式计算：

$$v_n(t+\Delta t)=v_n(t)+\Delta t\,\frac{\mathrm{d}v_n(t)}{\mathrm{d}t} \tag{3.22}$$

式中，Δt 为计算步长，取 0.1s。

根据第 2 章提取的有效跟驰数据，从中选取 300 组跟驰数据作为基准数据，然后用每一组跟驰数据的初始时刻数据作为上述两个模型的模拟计算的初始值，并结合式（3.22）进行迭代计算。具体来说，提出的改进模型输入变量为 $\boldsymbol{X}_{\mathrm{DORT}}=[\Delta x, v_n, v_{n-1}, \Delta v, \Delta a]$，对照模型输入变量为 $\boldsymbol{X}_{\mathrm{FVD}}=[\Delta x, v_n, \Delta v]$，然后将对应时刻的跟驰数据输入模型可计算出相应时刻的加速度；进一步，根据已经求得的加速度可计算出对应时刻的瞬时速度。

3.4.1 速度和加速度分布

为便于分析，绘制了由跟驰模型计算出的速度、加速度和实测数据的分布图，如图 3.4 所示。可以发现，由改进模型计算的速度、加速度基本与实测值一致，而由对照模型计算的速度、加速度分布规律与实测值差异较大。此外，观察速度的分布图可以发现，由对照模型计算的速度与实测速度分布规律差异较大；并且，对照模型得到的最大速度远小于实测速度，差值大于 5m/s。而改进模型计算的速度不仅在分布规律上与实测速度基本一致，且降低了小于 10m/s 速度值的分布数量，增加了大于 10m/s 速度值的分布数量，说明改进模型可以提升车辆在跟驰过程中的行驶速度。

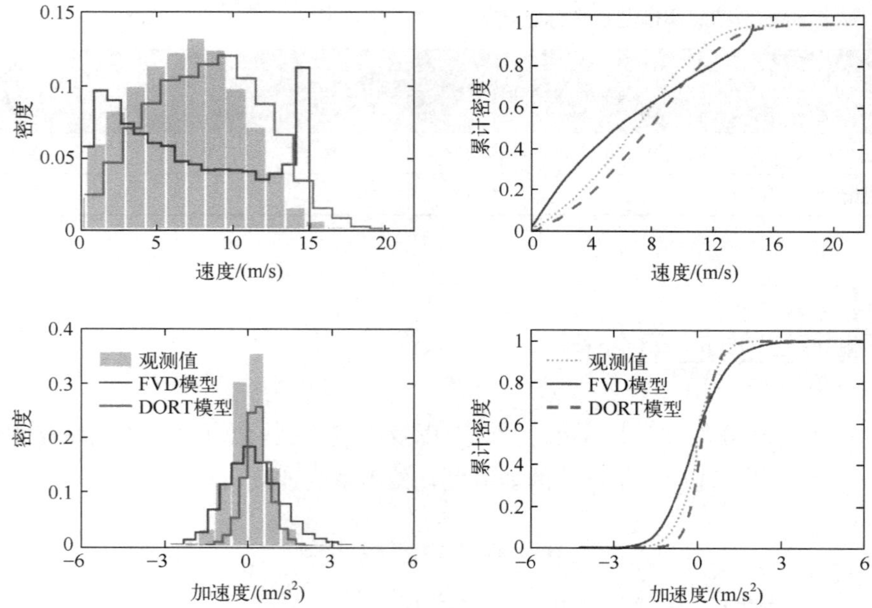

图 3.4 跟驰模型计算的速度、加速度与实测数据对比

此外，从图 3.4 还可发现，由对照模型计算的加速度分布与实测值差异较大，其计算的加速度值在 0m/s^2 附近分布较少，而实测加速度值在 0m/s^2 附近分布较多，且扩大了加速度值域的上下限。而由改进模型计算的加速度分布规律与实测加速度基本一致。上述结果说明，通过改进模型获得的结果更加贴合实际，能够更好地再现实际跟驰特性。

3.4.2 速度和加速度误差分析

为分析改进模型和对照模型计算结果与实测值的差异，本小节采用均方根误差（RMSE）作为误差评估指标，如式（3.23）所示。于是，依据模型计算的速度、加速度以及实测数据可求得上述两个模型的预测误差，统计描述结果如表 3.6 所示。

$$\text{RMSE}_i = \sqrt{\frac{1}{N}\sum_{t=1}^{N}(\text{Observed}_t - \text{Simulated}_t)^2} \tag{3.23}$$

式中，N 为跟驰时长；Observed_t 为观测值；Simulated_t 为跟驰模型的计算值。

表 3.6　改进模型和对照模型预测误差的统计结果

模型	速度的 RMSE					加速度的 RMSE				
	均值	中位数	标准差	最小值	最大值	均值	中位数	标准差	最小值	最大值
改进模型	1.36	1.33	0.47	0.43	3.71	0.48	0.46	0.10	0.27	1.14
对照模型	3.39	3.06	1.44	0.75	7.87	0.96	0.89	0.33	0.40	2.44

由表 3.6 可知，改进模型速度的 RMSE 平均值比对照模型下降约 59.9%，两者的 RMSE 最小值较为接近，但 RMSE 最大值却差异较大。此外，从加速度的 RMSE 结果来看，改进模型相比对照模型下降约 50.0%，加速度的 RMSE 最大或最小值较为接近，这些结果说明提出的改进模型在速度和加速度的预测精度方面具备更好的性能。

从图 3.5 中可以发现，改进模型的速度与实测速度的 RMSE 分布在 0.43～3.71 之间，而对照模型的速度与实测速度的 RMSE 则分布在 0.75～7.87 之间。另外，由改进模型计算出的 RMSE 更多集中于 1.33 附近，而对照模型计算出的 RMSE 更多集中于 3.06 附近，说明改进模

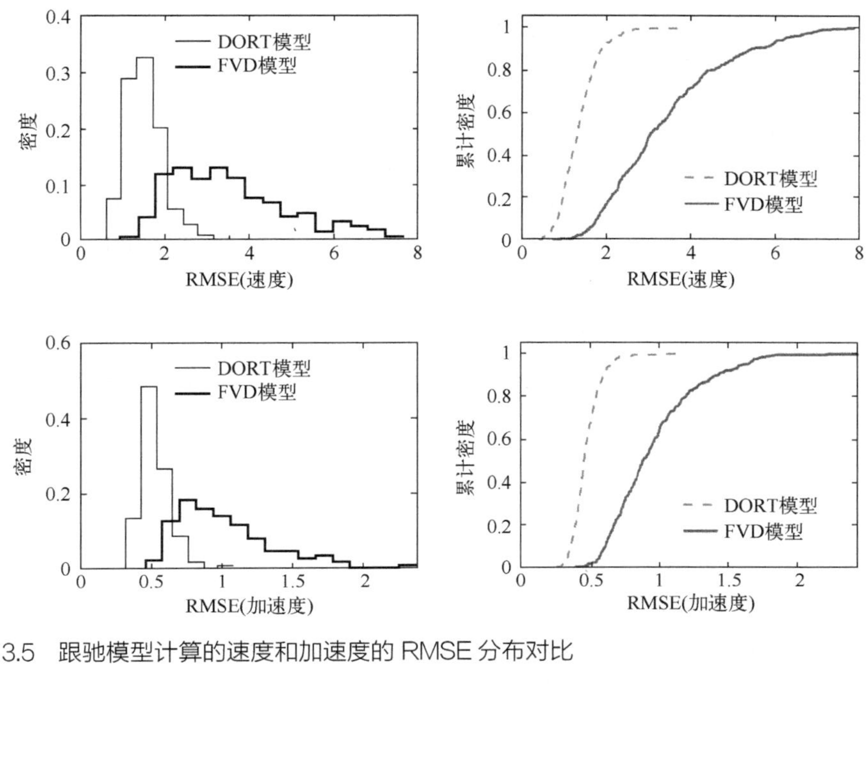

图 3.5　跟驰模型计算的速度和加速度的 RMSE 分布对比

型的速度更加接近于真实值，预测误差更小。此外，改进模型的加速度与实测值的 RMSE 分布在 0.27～1.14 之间，而对照模型的加速度与实测值的 RMSE 则分布在 0.40～2.44 之间。另外，由改进模型计算出的 RMSE 更多集中于 0.46 附近，而对照模型计算出的 RMSE 更多集中于 0.89 附近，说明改进模型的加速度更加接近于真实情形，预测误差更小。

通过上述分析结果可进一步得到：相比改进模型，对照模型虽然可产生更多的低速度值，一定程度上可提升车辆运行时的安全性能；但是，由于对照模型的加速度值多数分布在非零区间，因此会导致车辆频繁的加减速，从而导致车辆速度的急剧增大或减小，最终降低车辆行驶的安全性。而改进模型不仅整体上提升了车辆运行时的速度，而且减少了频繁的加减速现象，对于稳定交通流运行状态具有重要的作用。

3.4.3 油耗和排放影响分析

考虑到在实际行驶过程中驾驶人不仅期望提高车辆的机动性，而且还希望可以获得最佳的油耗水平，同时由于本章提出的跟驰模型不能直接用于评估每辆车的油耗和排放情况。因此，挑选了输入变量为瞬时速度和加速度的微观油耗与排放计算模型，以能够准确且定量地评估微观情形下每辆车的油耗和排放，该模型的简短描述如下。

VT-Micro Model 是一种用于评估车辆微观油耗与尾气排放的统计模型，其可以根据车辆瞬时速度和瞬时加速度计算瞬时油耗与尾气排放率。Ahn 和 Rakha 等利用美国橡树岭国家实验室（Oak Ridge National Laboratory）和美国国家环境保护局（Environmental Protection Agency）所收集的实测数据对该模型进行了标定和检验，研究结果表明该模型计算出的结果与实测数据对比时呈现出高度的一致性[148]。因此，本小节选取该模型用于评估每辆车的油耗和排放，如式（3.24）所示：

$$\ln(\mathrm{MOE_e})=\begin{cases}\sum_{i=0}^{3}\sum_{j=0}^{3}(L_{i,j}^{\mathrm{e}}\times v^{i}\times a^{j})\text{，如果 } a\geqslant 0\\ \sum_{i=0}^{3}\sum_{j=0}^{3}(M_{i,j}^{\mathrm{e}}\times v^{i}\times a^{j})\text{，如果 } a<0\end{cases}\tag{3.24}$$

式中，$\mathrm{MOE_e}$ 是瞬时的油耗率或尾气排放率，L/h 或 mg/s；$L_{i,j}^{\mathrm{e}}$ 和 $M_{i,j}^{\mathrm{e}}$ 是模型的回归系数，其参数取值参见文献［148］；v 是车辆的

瞬时速度，m/s；a 为瞬时加速度，m/s^2。

然后，依据式（3.24）可计算出每个跟驰车在跟驰期间的累计油耗，统计结果汇总如表 3.7 所示。

表 3.7　跟驰车累计油耗的统计结果　　单位：mL/km

项目	平均值	标准差	最小值	Q1	中位数	Q3	最大值
实际油耗	25.78	4.79	15.49	22.79	25.32	28.23	62.63
改进模型	23.44	3.68	14.03	21.02	23.22	25.29	45.11
对照模型	33.41	26.11	14.92	22.01	26.54	34.13	280.29

注：Q1 表示第一四分位数；Q3 表示第三四分位数。

另外，为了分析不同跟驰时长下的油耗差异，依据已经获得的各个跟驰车在跟驰期间的累计油耗，按照跟驰时长递增顺序且以 10s 为步长，分别计算出不同跟驰时长区间内的平均累计油耗，如图 3.6 所示。

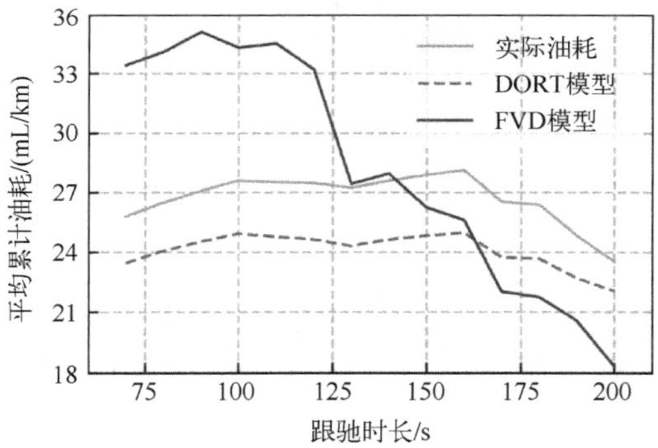

图 3.6　不同跟驰时长下跟驰车的平均累计油耗

通过观察表 3.7 和图 3.6 可以得出以下结果：

① 整体分析来看，改进模型的平均油耗最小，低于实际平均油耗量；而对照模型的平均油耗量最高，说明改进模型能够降低车辆行驶过程中的平均油耗量。

② 从图 3.6 可以发现，在不同跟驰时长内，改进模型的油耗均小于实际的油耗。此外，当跟驰时长小于 130s 时，对照模型的油耗量远远大于改进模型和实际的油耗量；当跟驰时长介于 130～163s 之间时，对照模型的油耗量虽然低于实际的油耗量，但是改进模型依然获得了最佳的油耗量；当跟驰时长大于 163s 时，对照模型的油耗量最佳。

③ 值得注意的是，通过数据分析发现绝大多数的跟驰时长是小于 100s 的。因此，虽然对照模型在跟驰时长大于 163s 时具备较好的性能，

但是由于大多数跟驰过程持续的时长较短，使得它的整体适应能力较弱，这也充分说明对照模型的油耗性能更好。

与油耗分析方法类似，依据式（3.24）可以计算出跟驰车在跟驰期间的累计排放量，统计结果汇总如表 3.8～表 3.10 所示，不同跟驰时长区间内的平均累计排放量如图 3.7 所示。

表 3.8 跟驰车累计 CO 排放量的统计结果 单位：mg/km

项目	平均值	标准差	最小值	Q1	中位数	Q3	最大值
实际排放	587.75	77.85	430.07	540.02	579.91	627.99	1196.08
改进模型	556.76	57.71	441.92	521.11	552.43	587.36	905.80
对照模型	746.55	440.04	309.82	567.84	632.31	740.79	5037.29

注：Q1 表示第一四分位数；Q3 表示第三四分位数；下表同。

表 3.9 跟驰车累计 HC 排放量的统计结果 单位：mg/km

项目	平均值	标准差	最小值	Q1	中位数	Q3	最大值
实际排放	85.57	16.45	49.51	75.14	84.31	93.84	214.97
改进模型	74.97	12.79	39.34	66.72	74.40	81.79	147.12
对照模型	115.49	108.24	36.08	67.53	87.49	121.69	1156.79

表 3.10 跟驰车累计 NO_X 排放量的统计结果 单位：mg/km

项目	平均值	标准差	最小值	Q1	中位数	Q3	最大值
实际排放	73.11	11.59	48.83	65.60	71.82	79.01	157.29
改进模型	69.24	9.61	43.61	63.37	68.80	74.60	125.52
对照模型	88.11	51.10	36.32	68.20	75.94	86.96	567.14

从表 3.8～表 3.10 和图 3.7 可以得到以下结果：

① 对于车辆产生的 CO、HC 和 NO_X 平均排放量，相比实际排放量和对照模型的排放量，改进模型的性能均为最佳，说明改进模型在尾气排放方面得到了较大的提升。

② 对于任意的尾气排放物，随着跟驰时长的增加，改进模型、对照模型以及实际的排放量均有下降趋势。这可能是因为，随着跟驰时长的增加，驾驶人逐渐适应当前驾驶环境，其调整车辆移动的策略也随之优化，从而降低了尾气排放。同样，车辆的油耗也存在同样的现象。

③ 与油耗不同的是，不同排放物的排放量对跟驰时长的敏感性是不同的。比如 CO 的排放量，在跟驰时长 170s 之前，改进模型的排放性能最好；然而对于 HC 的排放量，跟驰时长小于 160s 时，改进模型

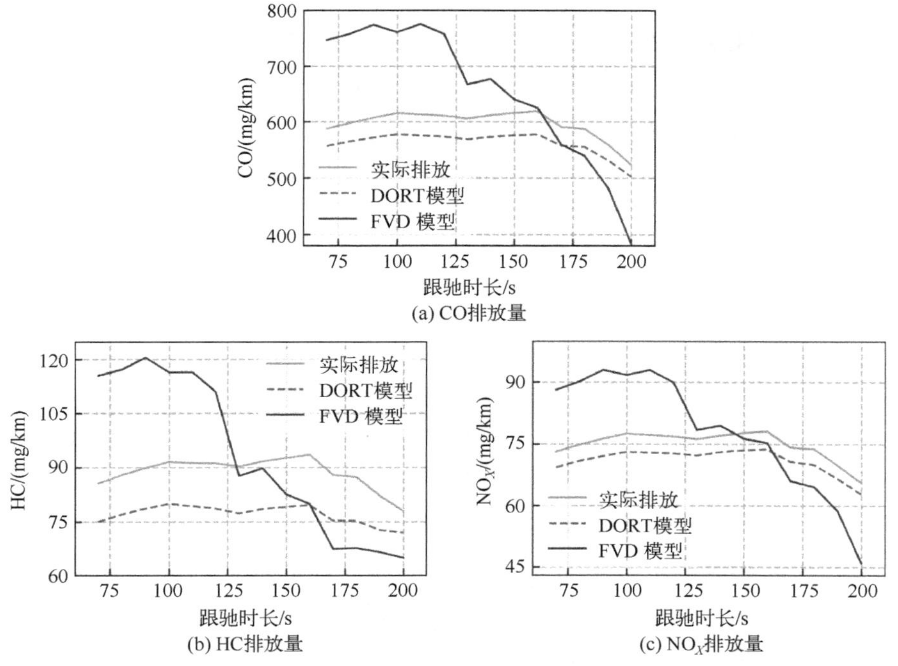

图 3.7　不同跟驰时长下跟驰车的平均累计排放量

的排放性能最好；NO$_X$ 的排放量却是在小于 164s 时最好。总之，可以充分说明的是，改进模型在跟驰时长小于 160s 时，相比对照模型和实际情形具备更好的排放性能。

此外，结合速度和加速度的误差分析结果来看，无论是改进模型还是对照模型，其和实测值之间依然存在的较大的差异。这主要是因为两个模型的目标都是优化车辆行驶过程中的速度和加速度，从而对车辆的运动状态进行微调，使车辆运行更加稳定，这就必然使得计算结果与实际情形存在差异。但是，尽管存在差异，计算结果也应该与车辆在实际行驶过程中的速度和加速度的变化趋势相近，从而使驾驶人能够接受对速度或加速度的微调，以适应驾驶人的驾驶习惯。此外，对照模型速度的平均 RMSE 近乎是改进模型的 2.49 倍，它的加速度的平均 RMSE 近乎是改进模型的 2 倍，这充分说明在考虑车头间距和前车速度的优化速度函数和加速度差后，提出的模型更能符合真实情形，并且能够在基本符合当前驾驶情形的基础上提升车辆速度、稳定加速度，进而提升车辆运行时的安全性能。

综上所述，上述结果充分说明在考虑车头间距和前车速度的优化速度函数和加速度差后，本节建立的模型更能符合真实情形，并且能够提升车辆速度、稳定加速度，进而提升车辆运行时的安全性能。换言之，改进模型不但可以提升车辆运行时的机动性和安全性，而且还可以优化驾驶人的跟驰行为，并且能够提升燃油经济性以及降低尾气排放。

本章小结

本章通过分析两类经典的优化速度函数发现，其在边际条件下会出现不切实际的交通现象。于是基于第 2 章的数据分析结果，建立了考虑车头间距和前车速度影响的优化速度函数；通过标定新函数参数且与对照函数对比分析后发现，新函数能够表达不同边际条件下的交通情形。然后，为进一步探讨车头间距与前车速度对跟驰行为的影响，将建立的优化速度函数引入至跟驰模型中，构建了考虑车头间距与前车速度影响的跟驰模型。最后，基于有效跟驰数据，使用遗传算法标定了跟驰模型的参数，并从多个方面分析了跟驰模型的可靠性。研究结果表明，在考虑车头间距与前车速度的影响后，相比对照模型，构建的跟驰模型计算的速度和加速度与实际数据中的分布特征更加一致，且预测的速度与加速度的误差更小。此外，通过计算跟驰模型的油耗与排放量后发现，构建的跟驰模型具有更好的油耗与排放性能。这些结果说明，在考虑车头间距与前车速度的影响后，不仅可以改善跟驰模型的动态性能，而且能够提升跟驰模型的燃油经济性。

第 4 章

临界车头间距阈值约束对跟驰行为影响分析

4.1 跟驰临界约束函数的提出

4.2 考虑跟驰临界阈值约束的跟驰模型建立

4.3 跟驰临界阈值约束对跟驰行为的影响

4.4 跟驰临界阈值约束对油耗与排放的影响

当前针对跟驰车头间距临界阈值对跟驰行为影响的研究较少，本章在第 3 章的基础上进一步探讨跟驰临界车头间距阈值范围对跟驰行为的作用机理。通过分析有效跟驰数据发现，传统优化速度函数中的跟驰临界车头间距阈值范围与实际数据不符，因此建立了动态可变的跟驰临界约束函数，并讨论了该函数的解析特性。随后将该函数引入跟驰模型中探讨跟驰临界阈值约束对跟驰行为的影响，构建了新的跟驰模型。通过设计不同的仿真实验分析了跟驰临界约束函数对交通流运行状态的影响，并对比分析了跟驰模型的油耗与排放性能。

4.1 跟驰临界约束函数的提出

4.1.1 跟驰临界车头间距阈值分析

在开始构建跟驰模型前，有必要先了解一下传统优化速度跟驰模型中的优化速度函数，如式（4.1）所示：

$$V(\Delta x(t))=V_1+V_2\tanh[C_1(\Delta x(t)-l_c)-C_2] \tag{4.1}$$

式中，$\Delta x(t)$ 为车头间距；l_c 为车辆长度；V_1、V_2、C_1 和 C_2 是待标定参数。

由式（4.1）可知，其具备以下特性：

① 它是单调递增的函数；

② $|V(\Delta x)|$ 存在上界，$V^{max}\equiv V(\Delta x_n\to\infty)$。

于是，根据式（4.1）可绘制出如图 4.1 所示的关系图。

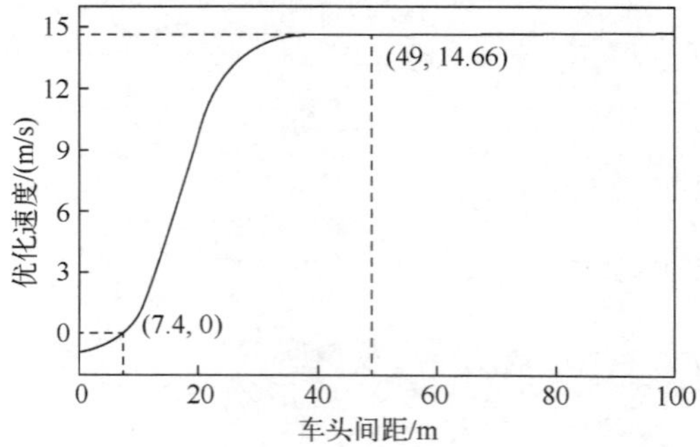

图 4.1　车头间距与优化速度的函数关系

从图 4.1 可以得出，在传统优化速度函数中假定 7.4m 是驾驶人理想的安全车头间距，优化速度为零；当车头间距约为 49m 时，达到最大期望速度 14.66m/s。当车头间距进一步增大时，他们认为车头间距不再对优化速度产生影响，并且在 $\Delta x \in [7.4, 49]$ 时，车头间距与优化速度呈正比例关系。然而，实际中的优化速度，或者说是驾驶人所期望的速度是严格与车头间距呈正比例关系吗？车辆跟驰行驶时车头间距的临界阈值仅为［7.4m，49m］之间吗？

根据实际驾驶经验及分析跟驰数据可知，驾驶人期望的速度不仅取决于与前车的车头间距，同时还取决于前车的速度。尤其在未来车车通信技术的条件下，车车之间能够交换自身的运动信息，跟驰临界车头间距和前车速度等信息可能对后车产生重要的影响。为观察跟驰临界车头间距与其他因素之间的关系，可将跟驰车速度和前导车速度、车头间距的分布绘制如图 4.2 所示。

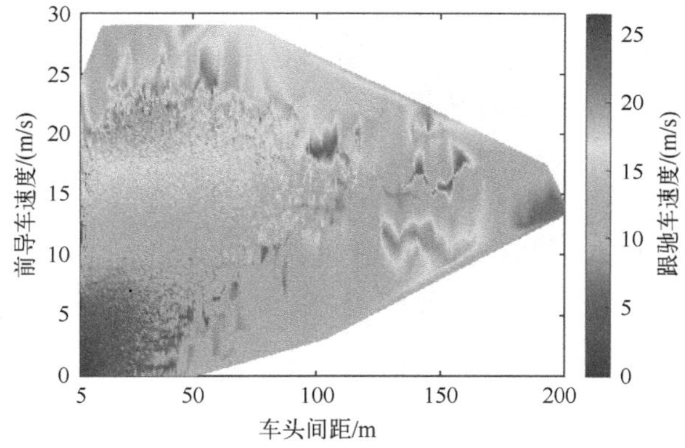

图 4.2　跟驰车速度和前导车速度、车头间距的关系

从图 4.2 中可发现以下结果：

① 跟驰车头间距的阈值范围并非传统优化速度函数定义的［7.4m，49m］，而是分布在［7.4m，200m］之间。

② 当车头间距一定时，跟驰车速度随着前导车速度的增大而增大，说明两者呈正相关关系。

③ 当前导车速度一定时，跟驰车速度同样随车头间距的增大而增大；但是，当车头间距大于 180m 时，可以明显看出跟驰车速度降为零，说明车头间距存在临界阈值。

④ 当车头间距为安全车头间距时，跟驰车的速度并不绝对为零，

而是与前导车的速度呈正相关关系。

于是，根据上述分析结果，可以推断出车辆在跟驰行驶时车头间距临界阈值与驾驶人期望的最优速度直接相关。并且，根据实测数据的统计结果发现优化速度函数具有以下特性：

① 优化速度与车辆跟驰行驶时车头间距的临界阈值密切相关，存在一定的约束范围，且阈值范围明显大于传统优化速度函数表现出的。

② 优化速度随着车头间距的增大而增大，但当车头间距等于最小安全车头间距时，跟驰车速度不一定降为零，而可能是以低于或等于前导车的速度行驶。

③ 优化速度随着前导车速度的增大而增大，增大的速率与车头间距相关。

4.1.2　跟驰临界约束函数

基于以上分析结果，与 Helbing 等[38]采用相似的方法，首先选用一个更为简单的函数，用以描述跟驰临界车头间距与驾驶人期望的最优速度之间的关系，称为 S 函数，其表达式如式（4.2）所示。

$$S(\Delta x)=\frac{1}{1+\mathrm{e}^{\Delta x_{\mathrm{safe}}-\mu\Delta x}} \tag{4.2}$$

式中，$S(\Delta x)$ 表示跟驰临界车头间距对优化速度的约束，$S(\Delta x)\in[0,1]$；Δx_{safe} 为安全车头间距，取 7.4m；μ 表示优化速度对跟驰临界车头间距的敏感性。

对于不同的参数 μ，S 函数既反映优化速度对不同车头间距的敏感性，又表现了跟驰临界车头间距对优化速度的约束效应。为直观观察 S 函数的特性，将其绘制如图 4.3 所示。

从图 4.3 可看出，如 $\mu=0.07$，当车头间距大于 200m 时，优化速度对车头间距的敏感性处于稳定状态，即不发生变化，同时也表示跟驰临界车头间距阈值的上限为 200m。此外，由第 3 章的研究结论及图 4.2 可知，驾驶人所期望的最优速度不仅取决于车头间距，而且与前导车的速度有关。于是，在式（4.2）的基础上给出更加符合跟驰临界阈值约束下的优化速度函数 $V(\Delta x, v_{n-1})$，表达式如式（4.3）所示：

$$V(\Delta x, v_{n-1})=V_{\max}[S(\Delta x)-S(\Delta x_{\mathrm{safe}})]+[1-S(\Delta x)]v_{n-1}(t) \tag{4.3}$$

式中，$V_{\max}$ 为最大速度；$v_{n-1}(t)$ 为前导车速度，m/s。

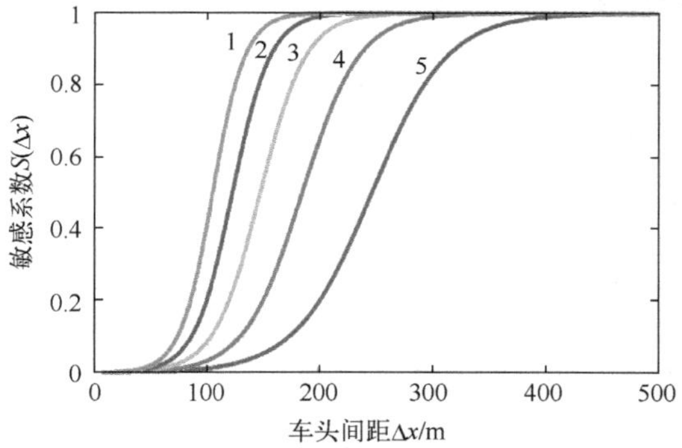

图 4.3 不同参数 μ 下跟驰临界车头间距与敏感系数的关系
1—μ= 0.07；2—μ= 0.06；3—μ= 0.05；4—μ= 0.04；5—μ= 0.03

且满足以下边界条件：

① 当 $\Delta x=\Delta x_{\text{safe}}$ 时，$V(\Delta x, v_{n-1}) \in [0, v_{n-1}(t)]$。

② 当 $\Delta x=\Delta x_{\text{safe}}$，且 $v_{n-1}(t)=0$ 时，$V(\Delta x, v_{n-1})=0$。

③ 当 $\Delta x \to +\infty$，且 $S(\Delta x_{\text{safe}}) \to 0$ 时，$V(\Delta x, v_{n-1}) \to V_{\max}$。

现在，来讨论式（4.3）是否能够表达跟驰临界阈值约束下优化速度函数应具备的特性。首先对 Δx 求偏导数，可得：

$$\frac{\partial V(\Delta x, v_{n-1})}{\partial \Delta x}=\mu(V_{\max}-v_{n-1}(t))S(\Delta x)[1-S(\Delta x)] \tag{4.4}$$

且当 $\Delta x \geqslant \Delta x_{\text{safe}}$ 时，

$$\frac{\partial V(\Delta x, v_{n-1})}{\partial \Delta x} \geqslant 0 \tag{4.5}$$

由式（4.4）和式（4.5）可知：

① 车头间距存在临界阈值，可根据实际情况通过参数 μ 调整。

② 当前导车速度一定时，式（4.3）表示优化速度与车头间距是单调递增关系。

③ 优化速度的变化速率不仅与车头间距相关，而且与此时的前导车速度有关。

④ 当车头间距为安全车头间距时，优化速度的变化速率为零，说明此时优化速度为恒定值或零。

然后，对 v_{n-1} 求偏导数，可得：

$$\frac{\partial V(\Delta x, v_{n-1})}{\partial v_{n-1}}=1-S(\Delta x) \tag{4.6}$$

且当 $v_{n-1}(t) \in [0,\ V_{\max}]$ 时，

$$\frac{\partial V(\Delta x, v_{n-1})}{\partial v_{n-1}} \geqslant 0 \tag{4.7}$$

由式（4.6）和式（4.7）可知：

① 当车头间距一定时，式（4.3）表示优化速度与前导车速度呈正相关关系。

② 优化速度的变化速率不仅与前导车速度相关，而且与此时的车头间距有关。

③ 当车头间距大于设定的跟驰临界车头间距上限时，优化速度的变化率为零，说明此时优化速度达到最大值。

也就是说，式（4.3）所描述的优化速度函数可以适用于跟驰临界车头间距阈值约束下的跟驰行为，下面将其引入至跟驰模型中进行进一步的验证和讨论。

4.2 考虑跟驰临界阈值约束的跟驰模型建立

基于上一节提出的跟驰临界约束函数，提出一种跟驰临界车头间距阈值约束下的跟驰模型，称其为强化的跟驰模型（Reinforcement Car-Following Model，RCF），其动态方程如式（4.8）所示：

$$\begin{aligned}\frac{\mathrm{d}v_n(t)}{\mathrm{d}t} = & k\left\{V_{\max}\left[S(\Delta x) - S(\Delta x_{\text{safe}})\right]\right. \\ & \left. + \left[1 - S(\Delta x)\right]v_{n-1}(t) - v_n(t)\right\} + \lambda \Delta v_n(t)\end{aligned} \tag{4.8}$$

为便于理解，这里讨论一下 RCF 模型在以下几种临界情形下所反映出的特性：

① 当车头间距较小时，跟驰车的速度更依赖于前导车速度的变化；

② 随着车头间距的逐渐增大，跟驰车的速度受前导车速度的影响逐渐减弱；

③ 当车头间距接近或大于临界车头间距（发生跟驰行为的最大车头间距）时，前导车速度对跟驰车速度的影响逐渐消失，此时跟驰车速度仅与道路所容许的最大速度有关。

由于本小节提出的模型考虑了跟驰临界车头间距阈值约束的影响，因此这里采用与文献［149］相似的初始假设。给定的交通环境如图

4.4 所示，其中 R 为跟驰临界车头间距阈值约束范围的半径，L 为跟驰车临界车头间距阈值约束范围的直径。特别地，Cheng 等[150]在研究中指出车车通信技术所使用的专用短程通信技术有效范围半径多为 300m。考虑到跟驰模型对未来智能网联交通环境的适用性以及车辆安全原因等，本小节假设跟驰临界车头间距阈值约束下最大上限为 $R=200\text{m}$，于是可由式（4.2）计算出 $\mu=0.07$，该参数取值可根据跟驰临界车头间距阈值的上限进行动态调整。

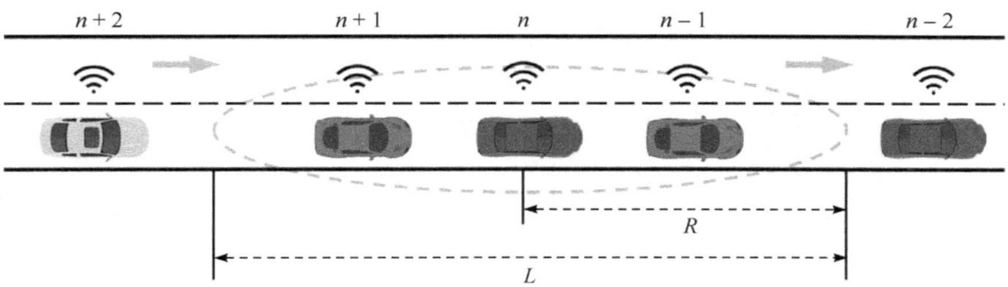

图 4.4　跟驰临界车头间距阈值约束范围示意

4.3 跟驰临界阈值约束对跟驰行为的影响

为探讨跟驰临界阈值对跟驰行为的影响，在接近开放边界条件下对构建的跟驰模型进行数值仿真实验。出于对比分析的目的，模型中参数的取值依次为：$k=0.41$，$\lambda=0.5$，$\Delta x_{\text{safe}}=7.4\text{m}$，$V_{\max}=14.66\text{m/s}$，仿真场景设置与文献［16］类似。

4.3.1　交叉口车辆启动仿真

启动过程仿真场景设置：假设一列由 11 辆车组成的车队停在信号交叉口停止线前，车头间距均为 7.4m，此时信号灯状态为红灯，且每辆车的优化速度均为零。当时间 $t=0\text{s}$ 时，信号灯状态由红灯变为绿灯，车队由头车开始逐渐加速起步，向下游交叉口行驶。于是，可得到改进模型和对照模型模拟车辆在交叉口起步阶段的速度和加速度变化情况，如图 4.5 所示。

从图 4.5 可发现：在扩大跟驰临界车头间距阈值范围后，改进模型仅需要 20s 左右便可使车队达到预设的最大速度，比对照模型需要的加

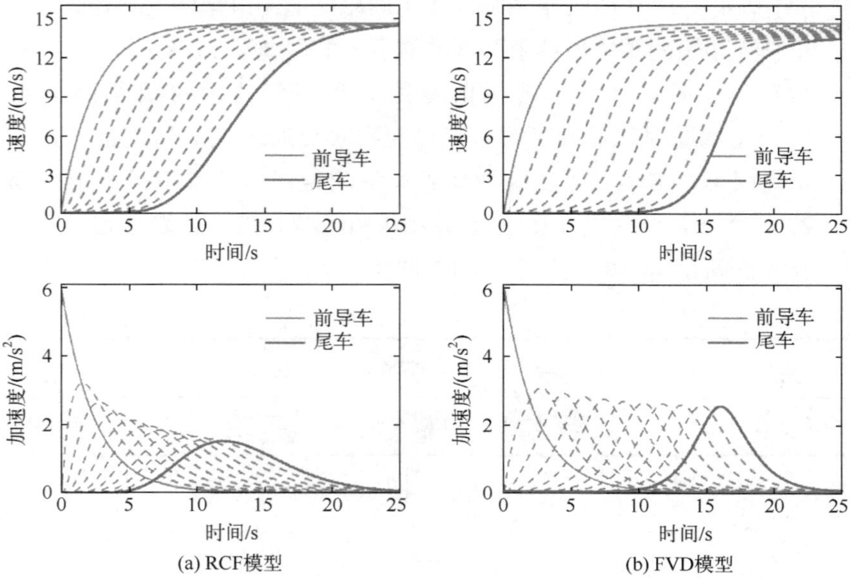

图 4.5　交叉口车辆启动过程的速度与加速度变化

速时间更少。另外，改进模型在 5s 后可使车辆启动并加速，而对照模型约需 10s。对于车队加速度，改进模型模拟车队的平均加速度比对照模型更小，且从头车至尾车的加速度减小程度大于对照模型。

这是由于改进模型模拟车队在扩大跟驰临界车头间距阈值范围后能够接收更大范围的前车速度信息，如第一辆车启动后，第二辆车并不会因为车头间距过小而不启动，而是同时考虑车头间距和前导车速度的变化情况，从而实时调整自身的速度，后续车辆同样采取类似决策。但是，对照模型模拟的车队完全依赖于车头间距的变化，忽略了驾驶人对前导车速度的反应。因此，整个车队启动的时间相比改进模型会更长。

另外，由于改进模型考虑了跟驰临界车头间距阈值扩大后的影响，保证了车队中每辆车可获取更大范围内前车的运动状态，从而能提前操作车辆，减少启动延误时间。因此，改进模型模拟的车队能够实现短时间内逐步加速，而不会出现加速度过大的情形。

4.3.2　交叉口车辆停车仿真

停车过程仿真场景设置：假设含 11 辆车的车队均匀分布在单车道的道路上，车头间距为 15m，车辆以优化速度匀速行驶（4.67m/s），在下游 632m 处设置一处信号灯。当时间 $t=0$s 时，信号灯状态由绿灯变为红灯，车队开始逐渐减速，最终全部停止在交叉口的停止线前。于是，可以得到如图 4.6 所示的车辆停车速度与加速度变化趋势。

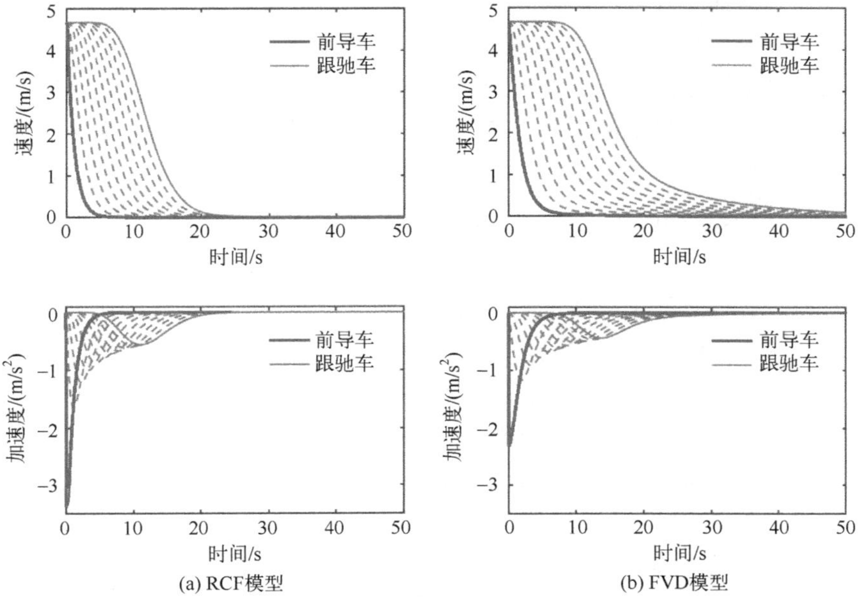

图 4.6　交叉口车辆停车过程的速度与加速度变化

由图 4.6 可知，在停车阶段改进模型和对照模型的车辆运行特征差异更大。改进模型相比对照模型可以在更短的时间内完全停车。这是因为改进模型模拟的车队在跟驰临界阈值约束下能够接收更大范围的前车速度信息，从而能够更快地调整自身的速度以适应当前交通状况。而对照模型仅根据车头间距调整自身速度，如当第一辆车制动一段时间后，整个车队的车头间距已经较小，但此时车队并不会立即停车，而是以相对较低的速度继续行驶，即对照模型加速度曲线（图 4.6）中 20～50s 的情形。

此外，虽然改进模型模拟车队的第一辆车的减速度大于对照模型，但其仍处于合理的范围之内。对照模型模拟车队的车头间距在 24s 之后降至 7.3m，小于设定的安全车头间距 7.4m；而改进模型模拟车队的车头间距相比对照模型远大于安全车头间距，说明改进模型在考虑跟驰临界阈值约束后能够使车队更加稳定且安全地运行。

4.3.3 意外事件下仿真验证

交通意外事件在实际交通运行中较为常见，例如发生交通事故、前车的突然减速、其他车道车辆的突然汇入等，这些意外事件对于正常行驶的车辆会产生较大的影响，可能导致局部交通流状态发生突变。

因此，设定如下仿真场景验证模型性能：假设由 11 辆车组成的车队均匀分布在单车道的道路上，车头间距为 15m，车辆以优化速度匀速行驶（4.67m/s）。当时间 $t=0s$ 时，车队头车前方 10m 处的车辆因发生交通事故突然停车，此时车队由头车开始紧急制动。图 4.7 为车队在稳定运行条件下突然遇到交通事故而紧急制动时，车队的速度、加速度和车头间距的变化情况，从图 4.7 中有如下发现。

① 对照模型模拟的车队中出现了负速度，即出现倒车现象，这在文献［151］中已经被证实，而改进模型并不会出现倒车现象。这是因为在意外事件下，对照模型模拟车队的头车的车头间距突然急剧减小，其优化速度随之急剧减小，导致头车的减速度发生较大变化，从而使得头车的速度快速降低。但受限于所采用优化速度函数的特性，由于头车与发生事故车辆的车头间距过小，短时间内快速减速并不能实现车头间距大于等于安全车头间距。于是，为避免发生碰撞，对照模型模拟的头车发生倒车现象，从而使得头车与事故车辆的距离维持在安全车头间距。该现象可以从图 4.7 中明显看出，后续的车辆连续受到头车的影响，均出现倒车现象。

② 在意外事件下，改进模型和对照模型模拟的头车均出现了较大的减速度，但均在正常范围内；另外从图 4.7 可以看出改进模型模拟车队的平均减速度大于对照模型，这是由于改进模型在跟驰临界车头间距的约束下可以更早地获取前方一定范围内的交通路况信息，从而可以及时采取紧急制动措施，避免与前车发生碰撞。

③ 在意外事件下，对照模型在出现倒车现象的情况下，车队的车头间距仍小于设定的安全车头间距。而改进模型在扩大跟驰临界车头间距阈值范围的条件下，每辆车能够获取更大范围的交通事故信息，从而有相对充足的时间处理紧急事件，并且能够使停车时的车头间距维持在较为安全的水平。

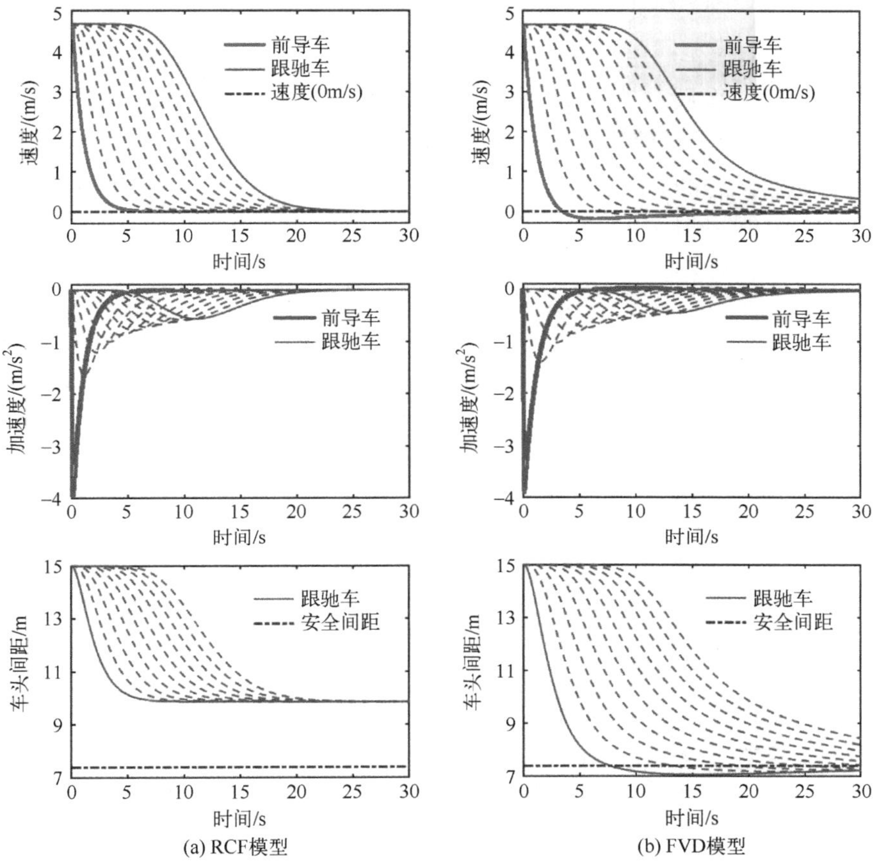

图 4.7　意外事件下车辆的速度、加速度及车头间距变化

4.4 跟驰临界阈值约束对油耗与排放的影响

本小节从车辆油耗和排放的角度来进一步论证提出模型的性能，选用 VT-Micro 模型[148] 作为分析油耗和排放的核心模型，该模型如式（4.9）所示：

$$\ln(\mathrm{MOE_e})=\begin{cases}\sum_{i=0}^{3}\sum_{j=0}^{3}(L_{i,j}^{\mathrm{e}}v_i a_j)\text{，如果 }a\geqslant 0\\ \sum_{i=0}^{3}\sum_{j=0}^{3}(M_{i,j}^{\mathrm{e}}v_i a_j)\text{，如果 }a<0\end{cases}\tag{4.9}$$

式中，MOE_e 为瞬时油耗率或尾气排放率，L/h 或 mg/s；$L_{i,j}^{e}$ 和 $M_{i,j}^{e}$ 为模型回归系数，其参数取值见文献［148］；v 为车辆瞬时速度，m/s；a 为瞬时加速度，m/s^2。

以启动过程和停车过程的车辆为分析对象，根据式（4.9）可获得改进模型和对照模型的油耗和排放结果，如图 4.8 所示。通过观察可得到以下结果：

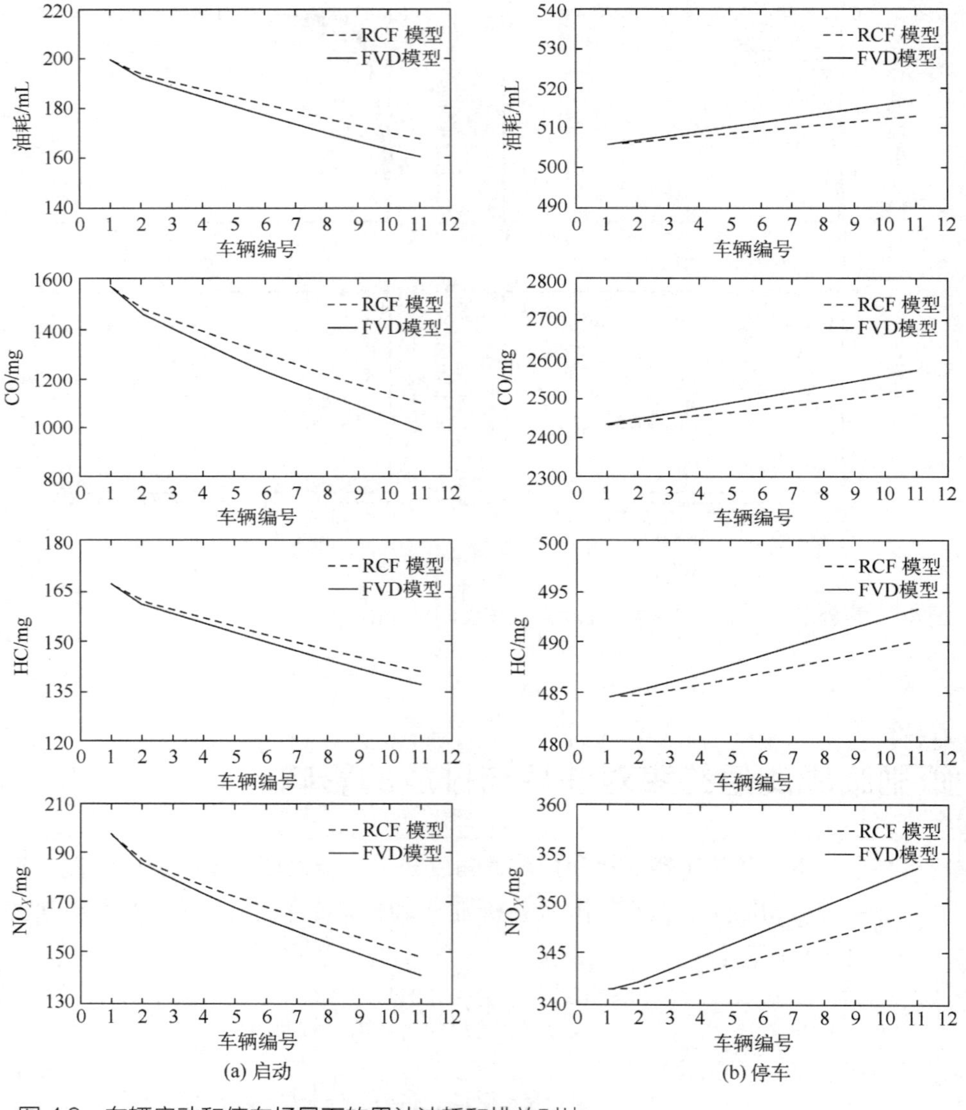

图 4.8　车辆启动和停车场景下的累计油耗和排放对比

① 从启动过程的油耗和排放数据中可发现，改进模型的累积油耗和尾气排放大于对照模型。出现这种现象的原因是，在启动过程中每辆车的瞬时速度和加速度都急剧增加，这就导致不可避免地增加车辆的燃油消耗和排放。但从表 4.1 中的结果可看出，尽管改进模型的累计油耗和尾气排放量大于对照模型的累计油耗和尾气排放，但两者之间的差异很小。另外，值得注意的是，改进模型在启动过程中花费的时间少于对照模型。因此，综合来看在启动过程中改进模型的整体性能可能会更好，基本兼顾了动态性能和燃油经济性。

表 4.1　启动过程中车辆的累计油耗和尾气排放对比

项目	油耗/mL	CO/mg	HC/mg	NO_x/mg
对照模型（FVD）	1956.52	13725.62	1652.17	1811.94
改进模型（RCF）	2002.18	14443.73	1676.40	1860.60
Δ(RCF－FVD)	45.66	718.11	24.23	48.66

② 从停车过程的油耗和排放数据中可明显看出，改进模型的燃油消耗或尾气排放性能优于对照模型，表明改进模型可以节省更多能源并减少尾气排放。此外，与对照模型相比，改进模型还可以使车辆更快地停止而不会出现倒车现象。

综上所述可知，在跟驰模型中考虑跟驰临界阈值约束后不仅可以优化车辆在不同交通情况下的机动性和安全性，而且可以减少车辆的燃油消耗并减少尾气排放量。更重要的是，这些结果可能对提高交通运营效率和促进运输系统的可持续发展具有潜在的理论价值。

本章小结

通过分析跟驰数据发现，实际中的跟驰临界车头间距阈值范围远大于传统优化速度函数中定义的，因此基于实测数据建立了跟驰临界约束函数，以表达不同临界车头间距阈值范围对驾驶人期望速度的影响。然后，为分析跟驰临界车头间距阈值约束对跟驰行为的影响，基于提出的跟驰临界约束函数构建了跟驰模型。最后，分别设计交叉口车辆启动、车辆制动及意外事件下车辆紧急制动三种场景分析跟驰模型的动态性能，并分析了跟驰模型的燃油经济性。结果表明，在考虑跟驰临界车头间距阈值约束后，可以显著提升跟驰模型的机动性。例如，在车辆启动过程中能够实现短时间内逐步加速，避免出现加速度过大的情形；在车辆制动过程中相比对照模型，构建的模型可使车辆在更短的时间内完全停车；在紧急制动过程中，改进模型能够更加有效地控制车头间距，避免出现低于安全车头间距的数值或发生倒车现象。此外，基于交叉口车辆启停的数据，进一步计算了两种场景下的油耗与排放情况，结果表明：相比对照模型，构建的跟驰模型在提升车辆机动性的同时，还能够保持与对照模型基本一致的燃油经济性。这些结果充分说明在跟驰模型中考虑跟驰临界车头间距阈值约束是必要的，其不仅可以提升车辆的机动性，而且可改善车辆的燃油经济性与排放效果。

第5章

驾驶人碰撞敏感性对跟驰行为的影响分析

不同于前文探讨的车辆相互约束对跟驰行为的影响，本章重点探讨驾驶人特性的影响。主要分析了车辆碰撞临界时间与跟驰状态之间的定量关系，提出了驾驶人碰撞敏感性的量化指标，并讨论了驾驶人在不同运行状态下碰撞敏感性的表现。进而基于驾驶人碰撞敏感系数构建了考虑驾驶人碰撞敏感性的跟驰模型，使用线性稳定性分析方法从理论上分析了跟驰模型的稳定性，并求解了模型的中性稳定条件，讨论了驾驶人碰撞敏感性与交通流稳定性的关系。最后，通过设计交叉口车辆启停和扰动情形下环道车辆跟驰行驶的仿真实验，探讨了驾驶人碰撞敏感性对交通流运行状态及交通波演化的影响，并基于安全评估指标讨论了模型的安全性能。

5.1 驾驶人碰撞敏感性分析

5.1.1 车辆碰撞临界时间的定义

现实跟驰条件下，由于驾驶人驾驶行为的不确定性导致车辆在跟车过程中存在诸多不确定的交通状况，如车辆的突然减速或加速等，这些状况使得车辆之间的碰撞风险显著增加。

车辆之间的碰撞风险很大程度上受驾驶人的风险感知能力影响，研究表明驾驶人在碰撞事件下对碰撞临界时间（Time to Collision，TTC）非常敏感，而不是车头间距、速度或者加减速等信息。也就是说，车辆的加速和减速与 TTC 紧密相关，低于预期的 TTC 值将促使驾驶人更快地制动车辆来降低加速度；相反，高于预期的 TTC 值会使得驾驶人提高加速度。

碰撞临界时间（Time to Collision，TTC）指如果前后车保持当前可能发生碰撞的速度，直到两车发生碰撞为止需要的时间[152]。TTC 的方程式如式（5.1）所示：

$$\text{TTC}=\begin{cases}\dfrac{x_{n-1}(t)-x_n(t)-l_c}{v_n(t)-v_{n-1}(t)}, & \text{如果 } v_n(t)>v_{n-1}(t)\\ \infty, & \text{其他}\end{cases} \tag{5.1}$$

式中，$x_{n-1}(t)$ 为前导车的位移，m；$x_n(t)$ 为跟驰车的位移，m；l_c 为车的长度，m；$v_{n-1}(t)$ 为前导车的速度，m/s；$v_n(t)$ 为跟驰车的速度，m/s。

5.1.2 驾驶人碰撞敏感性的量化指标

通过挖掘跟驰数据以及文献综述发现，碰撞临界时间或驾驶人对碰撞临界时间的敏感性可能对跟驰行为具有重要影响。尤其是在文献综述中发现很少有研究直接分析碰撞临界时间与跟驰行为之间的定量关系，以及碰撞因素如何影响交通流的稳定性和安全性。并且，已有研究仅是简单将碰撞时间引入跟驰模型，并未考虑其与跟驰特性的关系。因此，本小节侧重于分析碰撞时间与跟驰特性之间的关系，构建驾驶人碰撞敏感系数，并合理地将其引入跟驰模型，探讨它对交通流稳定性和安全性的影响。

在引入碰撞临界时间之前，非常有必要根据车辆跟驰行为特征对碰撞临界时间进行适当转换，使其更加符合跟驰特性。由式（5.1）可知，碰撞临界时间产生的条件是跟驰车速度大于前导车速度，而现实中跟驰车速度也可能小于或等于前导车的速度。于是，将碰撞临界时间值转换为更易于理解和适用范围更广的形式，如式（5.2）所示，称其为碰撞敏感系数（Collision Sensitivity Coefficient，CSC）。

$$\mathrm{CSC}=-\frac{1}{\mathrm{TTC}}=\frac{v_{n-1}(t)-v_n(t)}{\Delta x(t)-l_{\mathrm{c}}} \tag{5.2}$$

根据碰撞临界时间与车辆加减速之间的关系，给出碰撞敏感系数（CSC）的基本属性：

① 当 $v_n(t)>v_{n-1}(t)$ 时，CSC 起到抑制作用，即车辆之间很有可能会发生碰撞，驾驶人需要减小跟驰车的加速度，即：

$$\mathrm{CSC}=\frac{v_{n-1}(t)-v_n(t)}{\Delta x(t)-l_{\mathrm{c}}}<0 \tag{5.3}$$

② 当 $v_n(t)=v_{n-1}(t)$ 时，车辆之间维持匀速运动，处于安全行驶状态，即：

$$\mathrm{CSC}=\frac{v_{n-1}(t)-v_n(t)}{\Delta x(t)-l_{\mathrm{c}}}=0 \tag{5.4}$$

③ 当 $v_n(t)<v_{n-1}(t)$ 时，CSC 起到强化作用，即车辆之间暂时不会发生碰撞，驾驶人可以在有限范围内加速行驶，即：

$$\mathrm{CSC}=\frac{v_{n-1}(t)-v_n(t)}{\Delta x(t)-l_{\mathrm{c}}}>0 \tag{5.5}$$

通过上述定义的碰撞敏感系数，可将碰撞临界时间与不同的跟驰状态联系起来。即在跟驰车加速、匀速或减速行驶时，碰撞敏感系数会动态调整以改变跟驰车的加（减）速度，从而实现控制跟驰车的跟驰运动状态，避免车辆发生碰撞等。

5.2 考虑驾驶人碰撞敏感性的跟驰模型建立

在上节构建的碰撞敏感系数基础上，将其引入到跟驰模型中，以验证驾驶人碰撞敏感性对跟驰行为的影响。本节选用全速差模型作为基准模型，原因是它不仅模型结构简单而且能够描述复杂的交通现象。此外，通过第 2 章的数据分析以及部分学者分析实测数据发现，跟驰车的加减速行为也与前导车速度的变化高度相关[68]。因此，本书将碰撞敏感系数和前导车速度（见 1.2 节）引入到 FVD 模型中以得到拓展的动态方程，称其为碰撞预防模型（Collision Prevention Model，CP 模型），如式（5.6）所示：

$$\frac{\mathrm{d}v_n(t)}{\mathrm{d}t}=k\left[V(\Delta x(t))-v_n(t)\right]+\lambda\Delta v_n(t)+\gamma v_{n-1}(t)\mathrm{CSC} \tag{5.6}$$

式中，γ 为待标定参数，当 $\gamma=0$ 时，CP 模型与 FVD 模型相同。

将式（5.2）代入式（5.6）可得：

$$\frac{\mathrm{d}v_n(t)}{\mathrm{d}t}=k\left[V(\Delta x(t))-v_n(t)\right]+\lambda\Delta v(t)+\gamma\frac{v_{n-1}(t)-v_n(t)}{\Delta x(t)-l_{\mathrm{c}}}v_{n-1}(t) \tag{5.7}$$

通过式（5.6）和式（5.7）中的最后一项，可更加直接地看出碰撞敏感系数对跟驰车加速度的约束效应，即：

① 当跟驰车速度大于前车速度时，CSC 小于零，此时会使得跟驰车加速度降低，从而避免碰撞发生。

② 当跟驰车速度等于前车速度时，CSC 等于零，此时跟驰车的加速度不受影响，继续保持当前时刻的跟驰状态。

③ 当跟驰车速度小于前车速度时，CSC 大于零，此时会使得跟驰车的加速度增加，从而提升跟驰车的跟驰速度。

在上述三种约束条件下，由于考虑了碰撞临界时间，因此可从理论上保证车辆之间不会出现碰撞现象，能够保证车辆安全行驶。但为了更加全面地分析碰撞敏感性与跟驰行为之间的关系，以及验证模型的安全性能，下面从稳定性分析和多场景仿真验证的角度讨论两者之间的关系。

5.3 模型稳定点的稳定性解析方法与求解

5.3.1 线性稳定性基本理论

交通系统是一个复杂的动态系统，当系统出现扰动时即预示着交通拥堵出现，也就是系统变为不稳定状态。因此，可以利用动态系统稳定性分析方法来研究模型的稳定性。动态系统稳定性分析的方法很多，其中被广泛采用的是 Lyapunov[153,154] 提出的运动系统稳定性，其定义如下。

Lyapunov 稳定：如果一个关于 x 的微分方程组，在初始条件 $x(t_0)=x_0$ 下有解 $x(t)$，且对于任意给定的正数 $\varepsilon>0$，总存在一个正数 $\delta(\varepsilon)$，当初始条件 x_0 变为 $\tilde{x}_0$ 时，只要 $\|\tilde{x}_0-x_0\|\leqslant\delta$，其相应的解 $\tilde{x}(t)$ 在 $t>t_0$ 的任何时刻都满足 $\|\tilde{x}(t)-x(t)\|<\varepsilon$，则称解 $x(t)$ 是稳定的。如果不存在这样的正数 δ，则称解 $x(t)$ 是不稳定的。

渐进稳定：如果一个运动不但满足上述的稳定定义，而且还存在一个以 δ 为半径的球，从球内或球面上任意一点出发的运动轨线，随着时间的增大，总是无限地趋于轨线 $x(t)$，则称 $x(t)$ 为渐近稳定的。

从上面给出的 Lyapunov 稳定和渐近稳定的概念，可以看出它们的主要区别在于：稳定性的定义只要求系统在初始条件发生微小变化时，系统自身能够在一段时间后回到原来平衡状态的一个小的邻域；而渐近稳定的定义更加严格，要求系统随时间的推移不仅能够回到原来平衡状态的附近，而且还要能无限地趋近原来的平衡状态。显然，稳定的系统受到扰动后达到了新平衡状态，其新平衡状态可能与原平衡状态之间存在一定的偏差；而渐近稳定系统的新平衡状态与原平衡状态之间的偏差应当是趋于 0，也就是最终两个平衡态是相同的。

实际系统常常是非线性的，为了便于研究而用微偏线性化的方法处理，也就是用与它近似的线性系统来代替它。但是运动的稳定性有严格的定义，不是一个可以用某种近似计算来处理的工程问题。用一个线性系统近似地代替非线性系统，有可能会在运动稳定性问题上得出错误的结论，那么就需要严格论证。Lyapunov 经过缜密的研究，得出了 Lyapunov 第一定理，以处理上述问题。

Lyapunov 第一定理：若线性化后系统特征方程的所有根均为负实数或实部为负的复数，则原系统的运动不但是稳定的而且是渐近稳定的。线性化过程中被忽略的高于一阶的项也不会使运动变成不稳定。

具体到跟驰模型，其本质上是微分方程组，符合 Lyapunov 的定义和基本定理，且针对跟驰模型进行稳定性分析时多采用摄动法（Perturbation Analysis）。摄动法指对于动力系统的一个既定状态（往往是平衡态），在假想中或实际操作中给它一个微小的扰动使其略微偏离原状态，研究扰动大小的变化规律，从而获得原状态稳定性的特性。

本小节着重利用摄动法结合 Lyapunov 第一定理来分析该模型的临界稳定条件[8]：如果能够满足该条件，那么当车辆系统受到某种干扰而使车辆运动偏离了均匀流状态并引起了车速波动时，在经过一定时间后，车速波动会逐渐减弱并消失，系统又重新回到均匀流状态；否则，车速波动不断增大，系统将越来越远离均匀流状态，最终演化为拥堵流。

5.3.2 模型稳定点的稳定性解析解

首先，假设在环形道路上有一列车队匀速行驶，车辆之间以车头间距 b 均匀分布，每个车辆的速度为最优速度 $V(b)$，此时为平衡态。那么，t 时刻稳态交通流系统中每辆车的位置为：

$$x_n^0(t)=bn+V(b)t \tag{5.8}$$

假设 t 时刻第 n 辆车受到某种干扰，以 $y_n(t)$ 表示该扰动，那么此时车辆位置可记为：

$$x_n(t)=x_n^0(t)+y_n(t) \tag{5.9}$$

那么，式（5.9）可改写为：

$$y_n(t)=x_n(t)-x_n^0(t) \tag{5.10}$$

对式（5.10）分别求一阶和二阶导数，可得式（5.11）：

$$\begin{cases} y_n'(t)=x_n'(t)-x'^0_n(t) \\ y_n''(t)=x_n''(t) \\ x_n'(t)=x_n'^0(t)+y_n'(t)=V(b)+y_n'(t) \end{cases} \tag{5.11}$$

$$
\begin{cases}
\Delta v(t) = x'_{n-1}(t) - x'_n(t) \\
\qquad\quad = y'_{n-1}(t) - y'_n(t) \\
\qquad\quad = \Delta y'_n(t) \\
\Delta x(t) = x_{n-1}(t) - x_n(t) \\
\qquad\quad = b + y_{n-1}(t) - y_n(t) \\
\qquad\quad = b + \Delta y_n(t)
\end{cases}
\tag{5.12}
$$

于是，速度差和车头间距可改写为式（5.12）。为执行稳定性分析，将式（5.11）和式（5.12）代入本章提出的模型中［即式（5.7）］，可得式（5.13）：

$$
y''_n(t) = k\left[V(b+\Delta y_n(t)) - V(b) - y'_n(t)\right] + \lambda \Delta y'_n(t) + \gamma \frac{\Delta y'_n(t)}{b+\Delta y_n(t) - l_c}\left(V(b) + y'_{n-1}(t)\right) \tag{5.13}
$$

对 $V(b+\Delta y_n(t))$ 进行泰勒展开，且忽略高阶项，可得：

$$
V(b+\Delta y_n(t)) = V(b) + V'(b)\Delta y_n(t) \tag{5.14}
$$

将式（5.14）代入扰动方程式（5.13）可得：

$$
y''_n(t) = k\left[V'(b)\Delta y_n(t) - y'_n(t)\right] + \lambda \Delta y'_n(t) + \gamma \frac{\Delta y'_n(t)}{b+\Delta y_n(t) - l_c}\left(V(b) + y'_{n-1}(t)\right) \tag{5.15}
$$

为了求解提出模型的线性稳定性条件，令 $y_n(t) = \mathrm{e}^{\mathrm{i}\omega n + zt}$，式中，i 为虚数单位；$\omega$ 表示空间或时间振荡的频率；n 为整数索引；z 为复数参数；t 为时间变量。并按照傅里叶级数展开，则可得以下条件：

$$
\begin{cases}
y'_n(t) = z\mathrm{e}^{\mathrm{i}\omega n + zt} \\
y''_n(t) = z^2\mathrm{e}^{\mathrm{i}\omega n + zt} \\
\Delta y_n(t) = \mathrm{e}^{\mathrm{i}\omega n + zt}(\mathrm{e}^{-\mathrm{i}\omega} - 1) \\
\Delta y'_n(t) = z\mathrm{e}^{\mathrm{i}\omega n + zt}(\mathrm{e}^{-\mathrm{i}\omega} - 1)
\end{cases}
\tag{5.16}
$$

将式（5.16）代入式（5.15），化简后可得到关于 z 的方程：

$$
z^2\left[\mathrm{e}^{\mathrm{i}\omega n + zt}(\mathrm{e}^{-\mathrm{i}\omega} - 1)(b - l_c - \gamma \mathrm{e}^{-\mathrm{i}\omega})\right] + z\left\{\left[\mathrm{e}^{\mathrm{i}\omega n + zt}(\mathrm{e}^{-\mathrm{i}\omega} - 1) + b - l_c\right](k - \lambda(\mathrm{e}^{-\mathrm{i}\omega} - 1)) - \gamma(\mathrm{e}^{-\mathrm{i}\omega} - 1)^2 V(b)\right\} - kV'(b)(\mathrm{e}^{-\mathrm{i}\omega} - 1)\left[\mathrm{e}^{\mathrm{i}\omega n + zt}(\mathrm{e}^{-\mathrm{i}\omega} - 1) + b - l_c\right] = 0 \tag{5.17}
$$

进一步化简。令 $\mathrm{e}^x \approx 1 + x + \frac{x^2}{2}$，则有：

$$
\begin{cases}
e^{-i\omega}-1=\frac{1}{2}(i\omega)^2-i\omega \\
e^{i\omega n+zt}=1+i\omega n+zt+\frac{1}{2}(i\omega n+zt)^2
\end{cases}
\tag{5.18}
$$

同时，令 $z\approx z_1(i\omega)+z_2(i\omega)^2$，则有 $z^2\approx z_1^2(i\omega)^2$，并将式（5.18）代入式（5.17），忽略高阶项，可得关于 z_1 和 z_2 的方程：

$$
\begin{aligned}
&z_1^2(i\omega)^2(b-l_c)- \\
&k\begin{bmatrix} V'(b)(i\omega)^2+z_1(i\omega)^2+V'(b)(b-l_c)\frac{1}{2}(i\omega)^2 \\ -V'(b)(b-l_c)i\omega-z_1(b-l_c)(i\omega)-z_2(b-l_c)(i\omega)^2 \end{bmatrix}+ \\
&(b-l_c)\lambda z_1(i\omega)^2+\gamma V(b)z_1(i\omega)^2=0
\end{aligned}
\tag{5.19}
$$

于是，可以求得关于 $i\omega$ 的一阶和二阶系数，如式（5.20）所示：

$$
\begin{cases}
z_1=-V'(b) \\
z_2=\dfrac{\frac{1}{2}kV'(b)(b-l_c)-(V'(b))^2(b-l_c)+\lambda V'(b)(b-l_c)+\gamma V(b)V'(b)}{k(b-l_c)}
\end{cases}
\tag{5.20}
$$

根据长波理论，当 z_2 为负数时系统将变为不稳定态，则可知模型的中性稳定条件为：

$$
V'(b)=\frac{1}{2}k+\lambda+\frac{V(b)}{b-l_c}\gamma \tag{5.21}
$$

由式（5.21）可知，当 $\gamma=0$ 时，$V'(b)=0.5k+\lambda$，此时本小节提出模型的中性稳定条件与 FVD 模型的一致[16]。

进一步，由式（5.21）可得本章构建跟驰模型的稳定条件为：

$$
\gamma>\frac{V'(b)(b-l_c)-\frac{1}{2}k(b-l_c)-\lambda(b-l_c)}{V(b)} \tag{5.22}
$$

本小节中，式（5.22）中的参数取值依次为：

$$
k=0.41\mathrm{s}^{-1},\quad \lambda=0.5,\quad b=15\mathrm{m},\quad l_c=5\mathrm{m} \tag{5.23}
$$

因此，可知在上述参数取值条件下，当 $\gamma\geqslant 0.54$ 时，本章建立的跟驰模型是线性稳定性的。为了直观地观察不同驾驶人碰撞敏感性下提出模型的稳定域变化，将车头间距和驾驶人敏感性系数(Δx，k)的相位空间绘制成图 5.1，当 $\gamma=0$ 时，表示 FVD 模型的临界稳定曲线，其余参

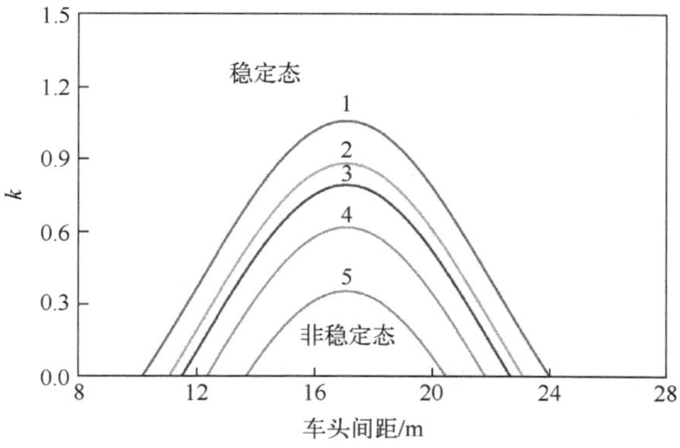

图 5.1　不同参数下的临界稳定曲线

1—$\gamma=0$；2—$\gamma=0.2$；3—$\gamma=0.3$；4—$\gamma=0.5$；5—$\gamma=0.8$

数取值时为本章建立模型的临界稳定曲线。

由图 5.1 可以看出，任意临界稳定曲线的顶点表示临界点，曲线下方表示交通流为非稳定态，此时在交通系统中表现为出现密度波，也就是时走时停现象。随着 γ 值（碰撞敏感性的权重）的增加，稳定域范围逐渐变大，说明在考虑驾驶人碰撞敏感性后模型的稳定性得到提升。此外，还可明显看出本章构建模型的临界稳定曲线均位于 FVD 模型的下方，说明本章构建模型的稳定域范围均大于 FVD 模型，这进一步表明在考虑驾驶人碰撞敏感性后可显著提升模型的稳定性，扩大跟驰模型的稳定域，以及抑制交通拥堵的出现。

5.4 碰撞敏感性对跟驰行为的影响

本小节执行不同的仿真实验来分析驾驶人碰撞敏感性对交通流运行状态及交通波演化的影响，并以 FVD 模型为对照模型。仿真的初始条件设置以及参数选取与文献［16］相同，单车道中由常规车辆组合的跟驰车队示意如图 5.2 所示。

5.4.1　启动延迟时间和波速

为分析驾驶人碰撞敏感性对车辆启动过程的影响，现将交叉口车辆启动过程仿真场景设置如下：初始时信号灯为红色，11 辆车依次停止

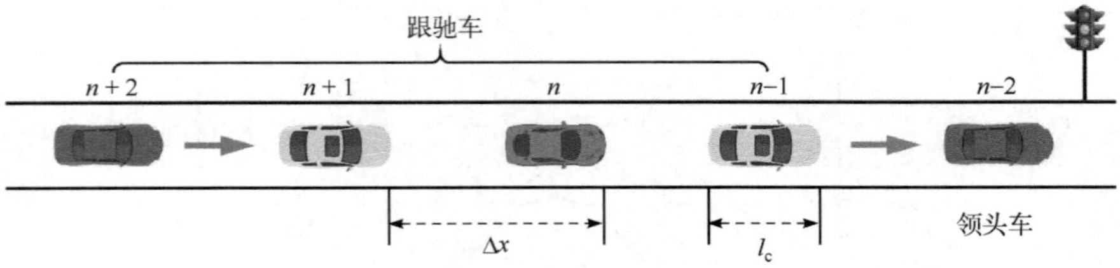

图 5.2　单车道下常规车辆跟驰车队示意

在交叉口的停车线后。第 1 辆车为领头车，其他车跟随其后，车辆之间的车头间距均为 7.4m。假设当 $t=0$ 时信号灯转变为绿色，领头车立即开始启动，其他的车辆随之逐渐启动。不同参数 γ 下的仿真结果如表 5.1 和图 5.3 所示。

表 5.1　不同参数设置下的启动延迟时间和波速

模型	k/s^{-1}	λ	γ	δt/s	c_j/（km/h）
对照模型（FVD）	0.41	0.5	0.0	1.40	19.03
改进模型	0.41	0.5	0.2	1.37	19.45
	0.41	0.5	0.3	1.32	20.18
	0.41	0.5	0.5	1.25	21.31

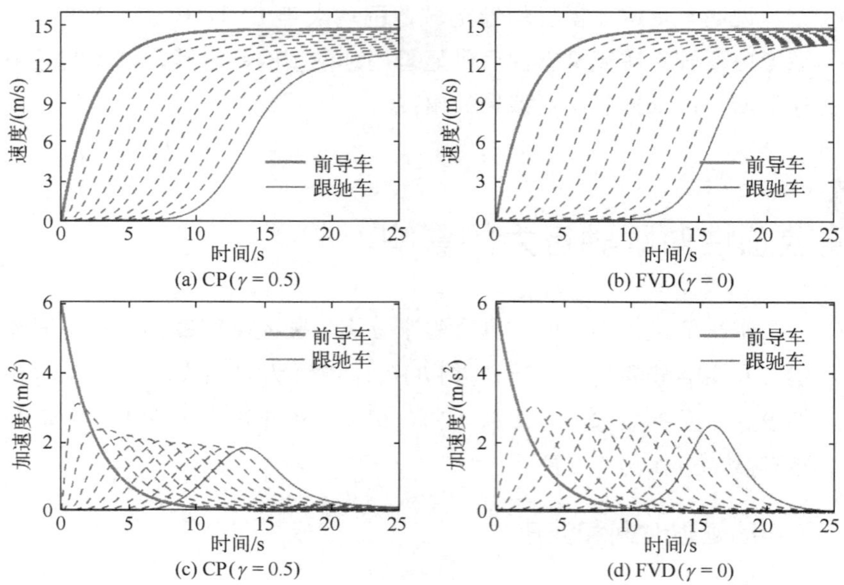

图 5.3　交叉口车辆启动过程中的速度和加速度变化

根据仿真结果可以计算出车辆启动的延迟时间和运动波速。由表 5.1 可知 γ 值对延迟时间和运动波速具有重要影响，并且随着 γ 值的增大，车辆运动的延迟时间逐渐减小，运动波速逐渐增大，由此可以推断出在上述两个指标中改进模型的效果更好，且两个参数均落在合理的范围内。图 5.3 表明当 $\gamma=0.5$ 时，改进模型的启动过程更加快速，车队最后一辆车在领头车启动后 8s 左右已经启动，而对照模型的最后一辆车则在 10s 左右开始启动，说明本章构建的模型比对照模型在启动过程中更具优势。

由图 5.3 可知，由于改进模型和对照模型的初始仿真条件相同，因此头车的加速度变化完全一致。另外，可以明显看出改进模型的加速度小于对照模型，并未超过加速度的限制范围 $[-3\mathrm{m/s^2}, 4\mathrm{m/s^2}]$。此外，在图 5.3 中发现 20～25s 时段内改进模型仿真车队后几辆车的速度小于对照模型，这种现象在众多学者提出的跟驰模型中均有出现，但均未得到明确的解释。为探究出现该现象的原因，将车辆编号为 2、5、8、11 的车辆在不同参数值下速度变化绘制成图 5.4。

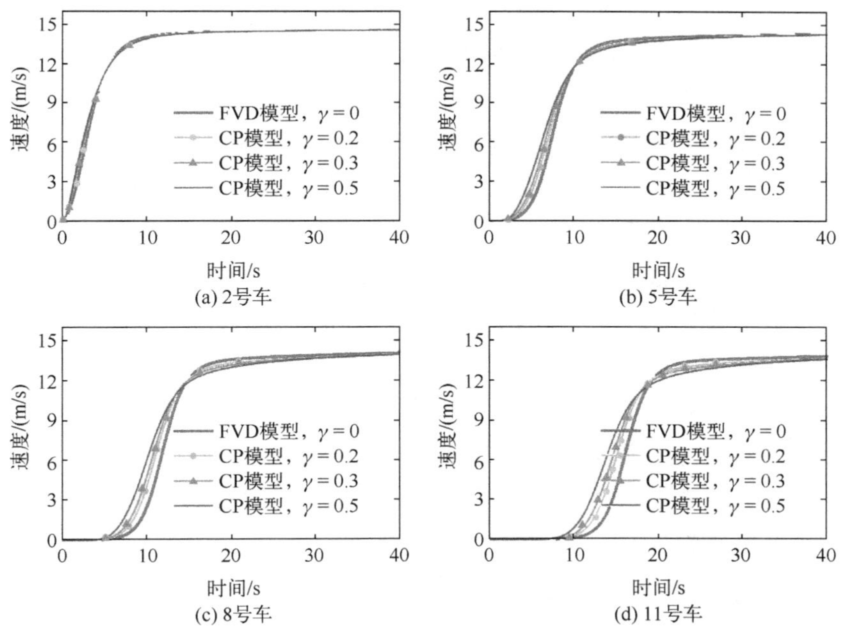

图 5.4 启动过程中不同参数值下车辆速度变化情况

由图 5.4 可以发现以下结果：

① 对于任意跟驰车，在启动阶段，不同 γ 值下的速度曲线均存在交点（临界点）。在交点左侧改进模型的速度大于对照模型，在交点右侧改进模型的速度小于对照模型。

② 对于任意跟驰车，在启动阶段，随着 γ 值的增大，改进模型与对照模型的速度曲线的交点出现的时间逐渐提前。如当 γ 值分别为 0.2、0.3 和 0.5 时，车辆 11 的速度曲线交点出现的时间分别为 20.0s、19.4s 和 18.9s。

③ 在启动阶段，跟驰队列中越靠前的车辆在不同 γ 值下的速度曲线交点越集中（见 2 号车）；而越靠后的车辆在不同 γ 值下的速度曲线交点越分散（见 11 号车）。

对于上述现象，可能是由于改进模型考虑了碰撞时间的影响和车队中运动信息传递的延迟。无论是对照模型还是改进模型在车辆启动一段时间后，车辆之间的速度差显著减小，而车头间距逐渐趋于稳定，这将促使车辆碰撞敏感系数（CSC）减小。然后，从式（5.7）可知随着 CSC 的减小，跟驰车的加速度变化率也将变小（见图 5.3），这将导致跟驰车的速度增加幅度变慢。而对照模型并无碰撞敏感系数的约束，因此两个模型在启动阶段的速度曲线存在交点。也就是说，在某个时刻或达到某个速度值后（观察到该速度值约为 11.1m/s），改进模型的速度增速将小于对照模型。但值得注意的是，虽然某个时刻后会出现改进模型的速度增速将小于对照模型的现象，但是在一定的 γ 值范围内，它们之间的差距非常小。

此外，由于队列中相对靠前的车辆比后方的车辆能够更加迅速地接收运动信息，因此能更早地执行车辆加速操作，而在队列后方的车辆执行车辆加速操作则相对滞后。这就导致队列前方车辆之间的速度差较小，而队列后方车辆之间的速度差较大。也就是说，队列前方车辆之间的 CSC 较小，而队列后方车辆之间的 CSC 较大。因此，结合式（5.7）可知队列前方车辆对不同的 γ 值不敏感，而队列后方的车辆则对不同的 γ 值较为敏感，从而导致出现上述现象。

5.4.2 车辆停车过程仿真

本小节主要分析停车过程中驾驶人碰撞敏感性对跟驰行为的影响。仿真场景与启动过程类似，这里假设有 11 辆车均以 15m 长的车头间距均匀分布在单车道的道路上（见图 5.2），并以最佳速度匀速行驶

(4.67m/s)。假设在领头车的下游 632m 处设置有一个交通信号灯，当 $t=100$s 时该信号灯由绿色变为红色，此时车辆开始逐步减速，并停止在下游的停车线前。两个模型的加速度和速度变化如图 5.5 所示。

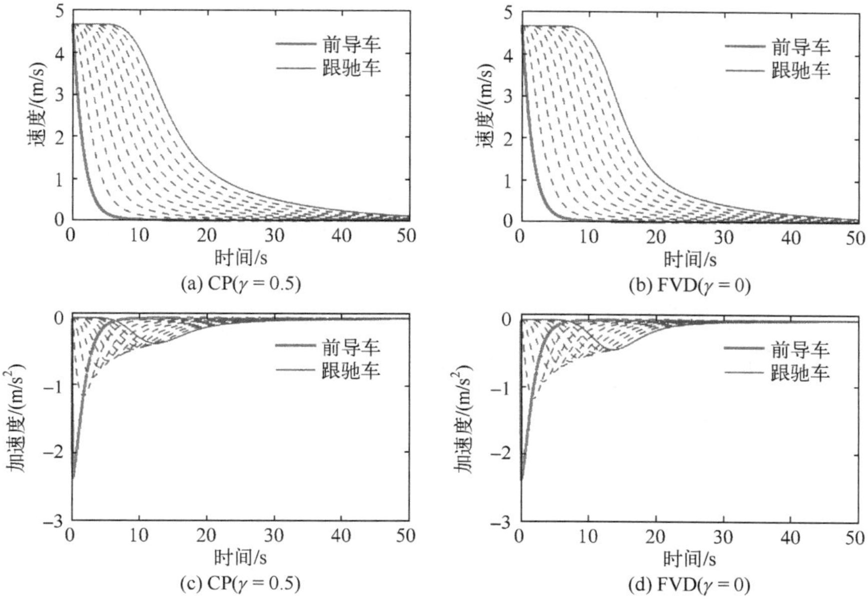

图 5.5　交叉口车辆停车过程中的速度和加速度变化

由图 5.5 可知当 $\gamma=0.5$ 时，改进模型和对照模型中第 11 辆车开始制动的时间分别为 4.6s、6.8s，说明改进模型需要更短的时间使整个车队刹车制动。此外，还可看出改进模型的减速程度相比对照模型更加缓和，并且减速曲线更加平滑。这表明在停车过程中改进模型可以提供更加舒适的驾驶模式，即在不降低刹车性能的条件下提升了驾驶舒适性。从图 5.5 还可明显地发现改进模型的加速度值落在了合理的区间内 $[-3\mathrm{m/s^2}, 4\mathrm{m/s^2}]$。因此，可以推断出在停车过程中改进模型相比对照模型的动态性能更优，也表明驾驶人碰撞敏感性显著影响着停车过程中的驾驶行为，通过向跟驰模型中引入碰撞敏感系数，驾驶人能够更加快速地降低车速。

5.4.3　交通波的演化机制

为探讨驾驶人碰撞敏感性与车队扰动传播的关系，本小节在周期性边界条件下，依据构建的跟驰模型分析驾驶人碰撞敏感性对车队出现小扰动后车头间距演化的影响。由于求得式（5.7）的解析解非常困难，因此使用龙格库塔法对其进行离散化处理。为进行对比分析，假定仿真的道路为环形单车道道路，长度 $L=1500\text{m}$。在道路上行驶的车辆数为 $N=100$，它们以 15m 的车头间距均匀分布在车道中，并以最佳速度匀速行驶。当 $t=0\text{s}$ 时，对车辆施加以下初始小扰动：

$$\begin{cases}\Delta x_n(0)=\Delta x_n(1)=\Delta x_0, & n\neq 50,\ n\neq 51\\ \Delta x_n(0)=\Delta x_n(1)=\Delta x_0+1, & n=50\\ \Delta x_n(0)=\Delta x_n(1)=\Delta x_0-1, & n=51\end{cases} \tag{5.24}$$

式中，Δx_0 为平均车头间距，初始值为 15m；n 是车辆的编号，即 $n=1,\ 2,\ \cdots,\ N$。

首先分析跟驰车队在施加小扰动的情况下，不同驾驶人碰撞敏感性对交通流稳定性的影响。图 5.6 展示了不同 γ 值下在时刻 1500～1700s 时段内车头间距的时空演化过程，从中可发现：

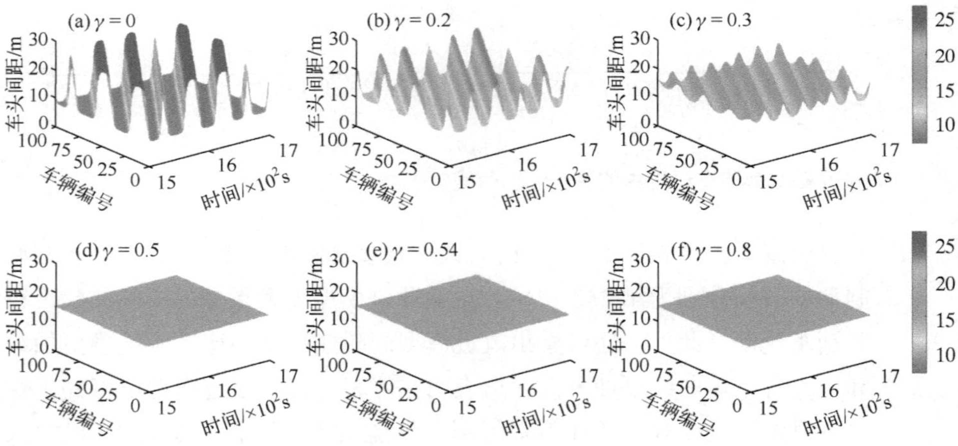

图 5.6　不同参数下车头间距的时空演化

① 随着 γ 值的增大，交通流的稳定性逐步得到增强。在图 5.6（a）～（c）中出现了时走时停现象，车头间距在 7.5～30m 之间波动，说明交通系统出现局部拥堵现象。这是因为在给交通系统施加小扰动后，小扰动随着时间变化被逐渐放大，并且匀质流最终将演化为非匀质流，即随着时间增长拥堵并不会消失且可能导致整个系统拥堵。

② 图 5.6 表明改进模型在考虑碰撞敏感性后可以显著改进交通流系统的稳定性。但是，由图 5.6（b）和（c）可知当 γ 值较小时时走时

停现象并未完全消失，而是相比对照模型有所减轻。这进一步说明由小扰动导致的时走时停现象如果需要完全消失，则需要充分考虑碰撞敏感性的影响，即碰撞敏感性对交通流系统的稳定性有着显著的影响。

③ 图 5.6（d）～（f）可以发现，当 γ 值大于 0.5 后小扰动基本消失，尤其是当 γ 值大于 0.54 后小扰动完全消失，交通系统处于稳定态。

为进一步研究跟驰模型引入驾驶人碰撞敏感性后，小扰动对交通流稳定性的影响，将不同 γ 值下所有车辆在时刻 1500s 和 1700s 的速度波动情况绘制如图 5.7 所示。

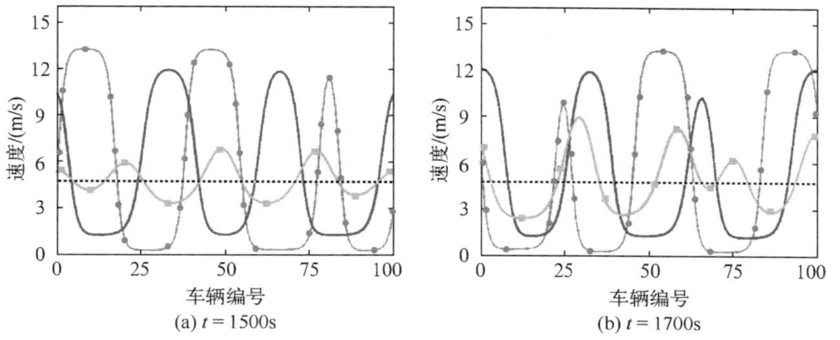

图 5.7　不同时刻下车队的速度波动

—•— γ= 0　—— γ= 0.2　—▪— γ= 0.3　······ γ= 0.5

由图 5.7 可知，随着 γ 值的增大，车辆速度曲线的振幅逐渐变小，时走时停现象逐渐减少，说明考虑碰撞敏感性后可以显著降低车辆速度的波动。而当 $\gamma=0$ 时，即对照模型，在时刻 1500s 和 1700s 均出现了速度降至零的现象，这说明施加小扰动后对照模型出现了时走时停现象，即发生了局部交通拥堵。此外还可发现，虽然随着时间推移速度曲线的振幅逐渐增大，但是考虑碰撞敏感性因素后可以显著降低速度的波动幅度，提升交通流的稳定性。

在给交通系统施加小扰动足够时间后，交通流逐渐变得稳定，此时交通流会发生迟滞现象，即迟滞回环（Hysteresis Loops）。它是指由不同车头间距下交通流运行时最大及最小车速所围成的曲线，迟滞回环越小则表明交通流系统的稳定性越好，受到小扰动干扰后的车头间距波动越小；反之亦然。图 5.8 展示了在时刻 1500s 和 1700s 时不同 γ 值下的迟滞回环。

从图 5.8 可以发现在时刻 1500s 和 1700s 时，$\gamma=0$ 时的迟滞回环最

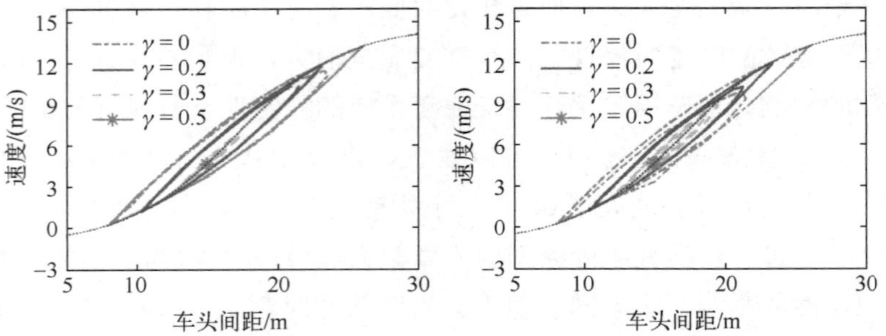

(a) $t = 1500$s (b) $t = 1700$s

图 5.8 不同时刻的迟滞回环

大，此时交通流系统的稳定性最差。随着 γ 值的增大，迟滞回环逐渐变小，说明考虑碰撞敏感性后交通流的稳定性得到增强。当 $\gamma=0.5$ 时，交通流系统处于完全稳定状态，迟滞回环缩减为最佳速度曲线上的一个点。此时所有车辆的车头间距均为 15m，说明小扰动随着时间推移已经消失，局部的交通拥堵已经消散，交通流系统处于稳定状态。此外，可以进一步发现，图 5.6～图 5.8 显示的结果与模型稳定性分析的结果是一致的，即当 $\gamma>0.54$ 时，交通系统是稳定的。

上述结果进一步表明，将驾驶人碰撞敏感性因素引入跟驰模型中是非常有必要的，并且引入后对交通流系统的稳定性具有显著的改善作用。

5.4.4 车队安全状态评估

由于跟驰模型无法直接用于评估车辆的安全性，于是本小节选取三种安全性能评估指标：碰撞时间（Time to Collision，TTC）[152]、冲突时长（Time Exposed Time-to-Collision，TET）和冲突严重程度（Time Integrated Time-to-Collision，TIT）[155]。TTC 是最常用的安全性能评估指标，它是指如果前后车保持当前可能发生碰撞的速度，直到两车发生碰撞为止需要的时间，其计算公式如式（5.1）所示。TET 表示在有限的时段内，TTC 值低于预设阈值时出现的总时间。TIT 表示在有限的时段内，TTC 值低于预设阈值时，对 TTC 曲线的积分。即如果 TTC 值小于预设阈值，说明此时的交通状态是危险性，反之亦然；而 TET 和 TIT 的值越小，说明跟驰车的安全水平越好。TET 和 TIT 的表达式为：

$$\mathrm{TET}_n=\sum_{t=0}^{T}\delta_n(t)\tau_{\mathrm{sc}} \tag{5.25}$$

$$\delta_n(t)=\begin{cases}0, & \text{其他}\\ 1, & 0\leqslant \mathrm{TTC}_n(t)\leqslant \mathrm{TTC}^*\end{cases} \tag{5.26}$$

$$\mathrm{TIT}_n=\sum_{t=0}^{T}[\mathrm{TTC}^*-\mathrm{TTC}_n(t)]\tau_{\mathrm{sc}},\ 0\leqslant \mathrm{TTC}_n(t)\leqslant \mathrm{TTC}^* \tag{5.27}$$

式中，n 为车辆的编号；τ_{sc} 为时间间隔；T 为分析的时长；TTC^* 为预设的 TTC 阈值。

由于小扰动在交通系统的演化过程相比启动、停车过程更为复杂，因此本节仅分析小扰动演化过程中的交通安全水平，并以编号为 50 和 51 的车辆作为分析对象，仿真总时长 $T=2500\mathrm{s}$，仿真时间步长为 0.1s。根据 TTC 的定义可知，当跟驰车速度小于或等于前导车速度时，跟驰车与前导车将不会发生碰撞，此时不存在 TTC 值（$\mathrm{TTC}\in\infty$）。因此，为便于分析，给出如下定义：

① $\mathrm{Number}_{\mathrm{TTC}<30\mathrm{s}}$ 表示 TTC 值小于 30s 出现的次数；

② $\mathrm{Number}_{\mathrm{TTC}}$ 表示 TTC 出现的总次数；

③ $\mathrm{Number}_{\mathrm{safety}}$ 表示跟驰车速度小于或等于前导车速度出现的次数，即出现安全环境的次数。

TTC 的临界值一般为 2～5s[155]，然而仿真的最大速度较小（15m/s）且紧邻车辆之间的速度差也较小，则由式（5.1）可知 TTC 值会相对较大。因此，我们选择 30s 作为 TTC 的临界值来分析交通安全水平，统计结果如图 5.9 所示。

由图 5.9 可知当 $\gamma=0$ 时（对照模型），TTC 值在 0～30s 内分布趋势较为分散［图 5.9（a)］，且大部分结果落在 15s 范围以内，说明对照模型的 TTC 值大多数较小。随着 γ 的增大，可以发现 TTC 值分布逐渐集中，且多大于 10s［图 5.9（b)～(d）］。而且 TTC 小于 30s 出现的次数逐渐减少，说明随着 γ 值的增大交通安全水平也得到提升。

另一方面，如果不考虑 TTC 值的大小，假设出现 TTC 值则认为车辆处于危险状况，则可绘制 TTC 值出现总次数的分布图，如图 5.10 所示。从图中可以发现与图 5.9 类似的现象，即随着 γ 值的增大，TTC 出现的次数相应减少。表 5.2 中的数据也进一步证明这个推断，即随着 γ 的增大，出现安全环境的次数也随之增大，而 TTC 出现的次数则呈相反趋势。

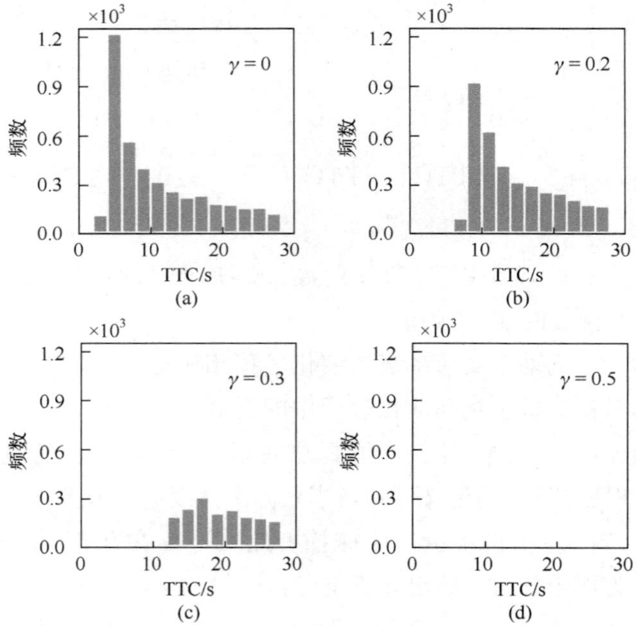

图 5.9　TTC 值（< 30s）分布情况

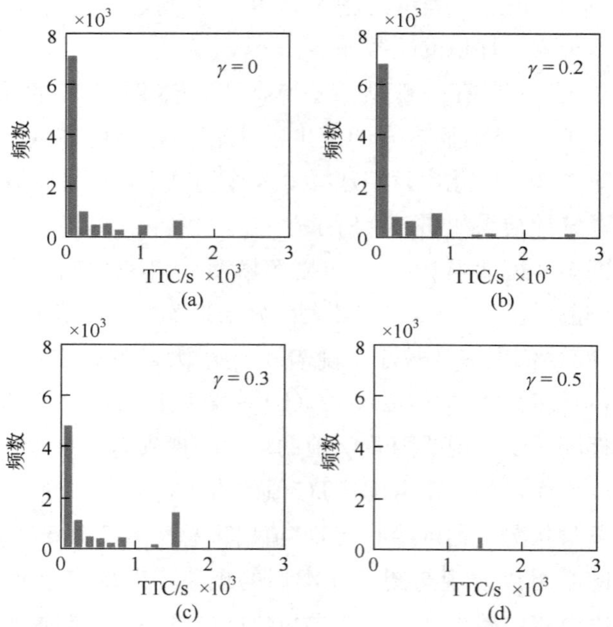

图 5.10　TTC 值总体分布情况

表 5.2　不同阈值下 TTC 或安全环境出现的次数

项目	$\gamma=0$	$\gamma=0.2$	$\gamma=0.3$	$\gamma=0.5$
$Number_{TTC<30s}$	4187	3808	1761	19
$Number_{TTC}$	10949	10195	9577	589
$Number_{safety}$	14051	14805	15423	24411

然后，依据式（5.25）～式（5.27）可以进一步计算出 TET 和 TIT，结果如表 5.3 和表 5.4 所示。

表 5.3　不同阈值下 TET 值的计算结果

项目	$\gamma=0$	$\gamma=0.2$	$\gamma=0.3$	$\gamma=0.5$
$TTC^*=5s$	92.8	0.0	0.0	0.0
$TTC^*=15s$	295.6	219.8	29.9	0.0
$TTC^*=30s$	418.7	380.8	176.1	1.9

表 5.4　不同阈值下 TIT 值的计算结果

项目	$\gamma=0$	$\gamma=0.2$	$\gamma=0.3$	$\gamma=0.5$
$TTC^*=5s$	60.6	—	—	—
$TTC^*=15s$	2240.6	973.4	38.9	—
$TTC^*=30s$	7707.6	5657.0	1740.8	10.3

由表 5.3 和表 5.4 可知，在选定任意 TTC 阈值的条件下，随着 γ 值的逐渐增大，TET 值或 TIT 值逐渐减小，说明冲突风险的次数逐渐减少或冲突风险的严重程度得到降低。尤其是在 $TTC^*=5s$ 时，改进模型的 TET 值均为零，TIT 值均为最小，而对照模型则存在较大的安全隐患。另外，当 $\gamma=0.5$ 时，改进模型的 TET 值和 TIT 值远小于对照模型，说明此时改进模型的安全性能要优于对照模型。综合分析上述三个指标的计算结果可知，考虑驾驶人的碰撞敏感性后可以显著提升交通流的安全性，减少冲突出现的次数和降低冲突风险的严重程度。

综上，通过选用不同的安全性能评估指标进一步论证了引入驾驶人碰撞敏感性的必要性和合理性。安全指标的计算结果表明在考虑驾驶人碰撞敏感性后，相比于对照模型，改进模型的安全性能得到了显著的改善，冲突次数或冲突严重程度显著降低。出现上述结果的原因是改进模型考虑了驾驶人碰撞敏感性对跟驰行为的影响。在前车的速度或加速度发生变化以后，后车根据碰撞敏感性来合理调整自身的加速度，以适应当前的交通环境。当前车速度急剧下降时，驾驶人感知到的碰撞敏感系数随之降低，此时驾驶人会降低车速以避免发生碰撞，跟驰车的安全性能能够有效地得到提升。另一方面，由于驾驶人能够依据碰撞敏感系数来评估当前驾驶环境的安全状况，从而能够更加合理地执行加速或减速操作，避免盲目加减速行为的发生。因此，车辆能够以相对稳定的模式运行，这也使得交通流系统更加稳定，而稳定的交通流系统又促进了机动性的提升。总之，可以得到的结论是驾驶人碰撞敏感性对跟驰车的动态性能和安全性具有重要影响，将驾驶人的碰撞敏感性引入跟驰模型中是非常必要的。

本章小结

本章主要探讨了驾驶人碰撞敏感性对跟驰行为及跟驰车辆安全性的影响。通过分析车辆碰撞临界时间发现，其与跟驰状态存在着密切联系，因此，基于不同的跟驰状态构建了碰撞敏感性的量化指标，用以表达车辆在加速、匀速和减速行驶下的碰撞敏感性。然后，基于第 2 章的数据分析结果，构建了考虑驾驶人碰撞敏感性的跟驰模型，并基于线性稳定性理论，从理论角度分析了驾驶人碰撞敏感性与模型稳定性之间的关系。随后通过设计不同的仿真场景进一步探讨了驾驶人碰撞敏感性对交通流运行状态及交通波演化的影响。

研究结果表明在考虑驾驶人碰撞敏感性后，不仅可以提升跟驰模型的稳定性和动态性能，而且还能够改善车辆的安全水平。在车辆的启停仿真过程中，通过增大碰撞敏感性的权重，可以显著提升车辆的行驶效率；在扰动情形下环道车辆跟驰行驶的仿真过程中，能够抑制车辆时走时停现象的出现，降低车队速度和车头间距的波动幅度，且该结果与模型的稳定性解析结果一致。此外，安全性能评估结果进一步表明，通过考虑驾驶人碰撞敏感性，由构建的模型计算得到的 TTC、TET 和 TIT 指标结果均优于对照模型。

综上所述，这些结果均表明驾驶人碰撞敏感性与交通流稳定性和安全性紧密相关，考虑该因素后可以提升跟驰模型的动态性能和安全水平。此外，未来应构建可描述多车道跟驰行为的模型，本书虽提出多种用于刻画不同跟驰特性的模型，但其基本前提是单车道跟驰，无法将其用于分析多车道跟驰行为。因此，未来应结合更多实测数据，建立考虑更加全面的多车道跟驰模型；同时也应创新模型结构，使其不仅能够描述跟驰阶段的特性，而且还能够表达非跟驰状态下的交通流特性。

第 6 章

基于机器学习方法的跟驰行为建模分析

本章综合考虑了驾驶人记忆特性和车辆间信息互通的影响，并基于数据驱动模型和传统跟驰模型构建了混合驱动跟驰模型。为确定最佳跟驰瞬时速度预测模型，选取四种数据驱动方法进行对比分析，根据跟驰数据的特性设计了模型训练和验证方案，讨论了不同跟驰时长下各个模型的预测效果，确定了最佳预测模型。在上述结果的基础上，考虑到数据驱动模型和传统跟驰模型各自的优势，进一步构建了基于长短期记忆神经网络的混合驱动跟驰模型，以长短期记忆神经网络模型表示驾驶人记忆特性，同时考虑车辆间信息互通效应。随后根据模型结构设计了计算框架，并执行了仿真实验，主要从模型的稳定性、预测效果和安全水平等方面深入分析了构建的混合驱动跟驰模型的性能。

6.1 跟驰瞬时速度预测方法选择

6.1.1 跟驰瞬时速度预测方法

车辆在跟驰行驶过程中，瞬时速度是评估其运行状态的重要指标之一。近年来使用数据驱动方法预测车辆行驶速度的研究日益增多，通过回顾关于交通速度预测方面的研究发现，现有研究大多侧重于宏观视角的速度预测，例如大规模交通网络下的速度预测、路段区间的行程速度预测等。然而，关于跟驰过程中的瞬时速度预测的相关研究却非常少，因此本节重点针对跟驰过程中的瞬时速度预测问题展开研究。

对于交通速度预测使用较多的方法主要有支持向量回归、随机森林回归、XGBoost 回归和 Adaptive Boosting 回归。实际上，无论是宏观速度预测，或是微观速度预测，其本质上均是时间序列预测问题。因此，本节将通过对比分析不同的预测方法，以获得预测性能最佳的方法，从而为建立更加精准的混合驱动跟驰模型奠定理论基础。

（1）支持向量回归原理

支持向量回归[156]（Support Vector Regression，SVR）是基于统计理论的监督学习算法，其具有较好的预测精度和泛化能力。假设给定训练数据集：

$$D=\{(\boldsymbol{x}_1,y_1),(\boldsymbol{x}_2,y_2),\cdots,(\boldsymbol{x}_i,y_i)\}\text{，}\ y_i\in\mathbb{R} \tag{6.1}$$

SVR 的任务是通过利用上述数据集训练学习，得到符合预设精度的回归模型 $f(\boldsymbol{x})$，如式（6.2）所示：

$$f(\boldsymbol{x})=\boldsymbol{\omega}^{\mathrm{T}}\boldsymbol{x}+b \tag{6.2}$$

式中，$\boldsymbol{\omega}$ 和 b 是模型参数。

SVR 模型与传统回归模型区别在于，其预设一个可接受偏差项 ε，只有当预测值 $f(\boldsymbol{x})$ 与实测值 y 之间差值的绝对值超过 ε 时，SVR 计算损失，一般选用 ε 不敏感损失函数[157]，如式（6.3）所示，而传统回归模型计算损失的条件为 $|f(\boldsymbol{x})-y|\neq 0$。

$$l(z)=\begin{cases}0, & \text{如果}|z|\leqslant\varepsilon \\ |z|-\varepsilon, & \text{其他}\end{cases} \tag{6.3}$$

式中，z 表示预测值与真实值之间的差值。

SVR 本质上是构建了以 $f(\boldsymbol{x})$ 为中心，且两侧宽度之和为 2ε 的可接受区域，作为回归模型预测可接受区间。即当训练样本落入此区间时，则认为预测值是可接受的，SVR 原理如图 6.1 所示。

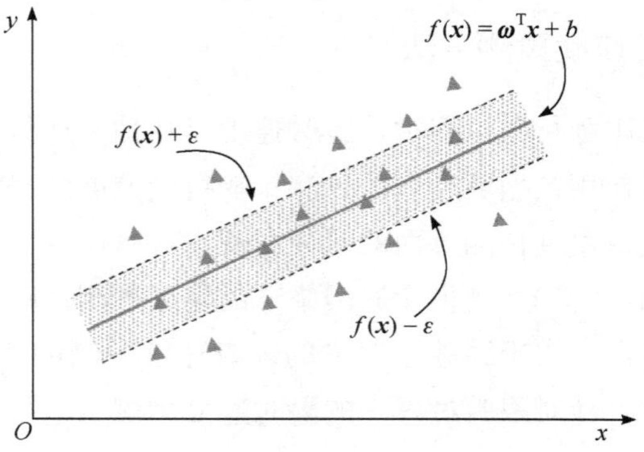

图 6.1　支持向量回归原理

根据 SVR 原理可将其回归问题转化为[157]：

$$C\sum_{i=1}^{k}(\xi_i+\hat{\xi}_i)+\frac{1}{2}\|\boldsymbol{\omega}\|^2\rightarrow \min \tag{6.4}$$

式中，C 是正则化系数；ξ_i 和 $\hat{\xi}_i$ 是松弛变量。

式（6.4）应同时满足如下约束条件：

$$\begin{cases}f(\boldsymbol{x}_i)-y_i\leqslant\varepsilon+\xi_i \\ y_i-f(\boldsymbol{x}_i)\leqslant\varepsilon+\xi_i \\ \xi_i\geqslant 0,\ \hat{\xi}_i\geqslant 0,\ i=1,2,\cdots,k\end{cases} \tag{6.5}$$

可进一步将 SVR 问题表示为如下最终形式：

$$f(\boldsymbol{x})=\sum_{i=1}^{k}(\hat{\alpha}_i-\alpha_i)\cdot\kappa(\boldsymbol{x}_i,\ \boldsymbol{x}_j)+b_i \tag{6.6}$$

式中，$\hat{\alpha}_i$ 和 α_i 为拉格朗日乘子；$\kappa(\boldsymbol{x}_i,\ \boldsymbol{x}_j)=\phi(\boldsymbol{x}_i)^{\mathrm{T}}\cdot\phi(\boldsymbol{x}_j)$ 为核函数；$\boldsymbol{x}_i$ 表示训练集中的第 i 个支持向量；$\boldsymbol{x}_j$ 表示模型输入向量。

（2）随机森林回归原理

随机森林回归（Random Forest Regression，RFR）指由 k 个决策树组成的整体，模型的预测结果等于各个决策树预测结果的加权平均值，k 个决策树可表示为：

$$f(x,\theta_i),i=1,2,\cdots,k \tag{6.7}$$

式中，θ_i 是 i 个独立分布的随机变量；x 是输入变量。

换言之，随机森林回归算法源自于集成学习思想，主要遵从 Bagging 原则，即通过自助采样的方式生成 k 个决策树，然后根据“少数服从多数”的原则来获得最终结果。因此，在理解随机森林回归算法之前，先介绍回归决策树的原理。

回归决策树（Classification And Regression Tree，CART）模型最早是由 Breiman 等[158]提出，主要内容包含特征选择、树的生成和剪枝。同样，假设给定如式（6.1）所示的训练数据集 D，首先需要将输入空间划分为 k 个子空间 R_1，R_2，…，R_k，在每个子空间中均对应存在一个输出值 c_k，此时可以构建 k 叉决策树。回归决策树具体的算法流程如下：

① 选择最优切分变量 j 与切分点 s，按照式（6.8）遍历变量 j，对特定的切分变量 j 扫描切分点 s，选择使得式（6.8）达到最小值的对 $(j,\ s)$：

$$\min_{j,s}\left[\min_{c_1}\sum_{x_1\in R_1(j,s)}(y_i-c_1)^2+\min_{c_2}\sum_{x_2\in R_2(j,s)}(y_i-c_2)^2+\cdots+\min_{c_k}\sum_{x_k\in R_k(j,s)}(y_i-c_k)^2\right] \tag{6.8}$$

式中，y_i 代表所有属于该子空间的样本点 x_i 对应的真实值。

② 以求得的对 (j,s) 划分空间并决定对应的输出值：

$$\begin{cases}R_1(j,s)=\{x \mid x^{(j)} \leqslant s\} \\ R_2(j,s)=\{x \mid x^{(j)} \leqslant s\} \\ \cdots \\ R_k(j,s)=\{x \mid x^{(j)} \leqslant s\}\end{cases} \tag{6.9}$$

$$\hat{c}_k=\frac{1}{N_k}\sum_{x_i \in R_k(j,s)} y_i, x \in R_k, k=1,2,\cdots,n \tag{6.10}$$

③ 重复上述步骤，直至达到预设的精度要求。然后，可得回归决策树：

$$f(x)=\sum_{i=1}^{k}\hat{c}_k I(x \in R_k) \tag{6.11}$$

式中，I 为指示函数。

随机森林回归便是在此基础上利用随机取样方法进行。一般用自助采样法随机且重复地从训练数据集中选择样本。基于式（6.7）可知需获取 k 个样本，此时可得到 k 个相应的回归决策树，根据式（6.8）～式（6.11）可对每个回归决策树进行训练，直至每个回归树无法继续分支为止。通过上述过程生成的 k 个回归决策树构成随机森林回归[159]。

（3）Adaptive Boosting 回归原理

Adaptive Boosting 回归（Adaptive Boosting Regression，ABR）指将多个弱学习器（基学习器）组合成强学习器，通过迭代增加预测精度高的弱学习器的权重，降低预测精度低的弱学习器的权重，从而使得模型获得最佳预测精度。ABR 原理介绍如下[157,159]：

假设存在训练集 $D=\{(x_i, y_i)\}_{i=1}^{m}$，其中 $x_i \in R^n$，$y_i \in [-1, +1]$，基学习算法 l，训练轮数 T：

初始化训练样本的权值分布：

$$W_1=(w_{11},w_{12},\cdots,w_{1m}), \; w_{1i}=\frac{1}{m}, i=1,2,\cdots,m \tag{6.12}$$

迭代以下过程 $t=1,2,\cdots,T$。

① 以具有当前分布 W_t 的数据集训练基学习器 $h_t=l(D,W_t)$；

② 计算训练集的最大误差：

$$E_t=\max|y_i-h_t(x_i)|, \quad i=1,2,\cdots,m \tag{6.13}$$

③ 计算每个样本的相对误差。如果是线性误差，则：

$$e_{ti}=\frac{|y_i-h_t(x_i)|}{E_t} \tag{6.14}$$

如果是平方误差，则：

$$e_{ti}=\frac{(y_i-h_t(x_i))^2}{E_t^2} \tag{6.15}$$

如果是指数误差，则：

$$e_{ti}=1-\exp\left(\frac{-|y_i-h_t(x_i)|}{E_t}\right) \tag{6.16}$$

④ 基学习器 h_t 在训练数据集上的回归误差率为：

$$\varepsilon_t=\sum_{i=1}^{m} w_{ti}e_{ti} \tag{6.17}$$

⑤ 基学习器 h_t 的权重系数 α_t 为：

$$\alpha_t=\frac{\varepsilon_t}{1-\varepsilon_t} \tag{6.18}$$

⑥ 更新训练集的样本分布 $W_{t+1}=(w_{t+1,1},w_{t+1,2},\cdots,w_{t+1,m})$：

$$w_{t+1,i}=\frac{w_{ti}}{Z_t}\alpha_t^{1-e_{ti}} \tag{6.19}$$

式中，Z_t 是规范化因子，如下式所示。

$$Z_t=\sum_{i=1}^{m} w_{t,i}\alpha_t^{1-e_{ti}} \tag{6.20}$$

然后，基于上述过程构建弱学习器的线性组合 $\sum^{T}\alpha_t h_t(x)$，便可以得到表征 Adaptive Boosting 回归算法的最终的强学习器：

$$H(x)=\sum_{t=1}^{T}\left(\ln\frac{1}{\alpha_t}\right)g(x) \tag{6.21}$$

式中，$g(x)$ 是所有 $\alpha_t h_t(x),t=1,2,\cdots,T$ 的中位数。

（4）XGBoost 回归原理

XGBoost 回归（XGBoost Regression，XGBR）与 ABR 类似，都属于 Boosting 方法。XGBR 主要特点是误差函数考虑了二阶泰勒展开和损失函数中引入了正则化项，避免模型过拟合。XGBoost 回归原理介绍如下：

XGBoost 算法为线性组合模型[160]，其采用增量学习的方式构建 k 棵回归决策树，同样假设存在训练集 $D=\{(x_i,y_i)\}_{i=1}^{m}$，其中 $x_i\in R^n,y_i\in[-1,1]$，则 XGBR 的模型如式（6.22）所示：

$$\hat{y}=\phi(x)=\sum_{k=1}^{K}f_k(x_i),\ f_k\in \boldsymbol{F} \tag{6.22}$$

式中，$\hat{y}$ 表示模型的预测值；$\phi(x)$ 用于描述输入到输出的映射；f_k 为回归决策树；$\boldsymbol{F}$ 为假设空间，即：

$$\boldsymbol{F}=\{f(x)=w_{q(x)}\},\ q:\ \mathbb{R}^m\rightarrow \boldsymbol{T},\ w\in \mathbb{R}^{\mathrm{T}} \tag{6.23}$$

式中，$q(x)$ 表示将样本 x 分配至叶子节点上；w 表示该叶子节点的得分。故 $w_{q(x)}$ 是该样本的预测值。

XGBR 算法的目标函数如式（6.24）所示：

$$L(\phi)=\sum_i l(\hat{y}_i,y_i)+\sum_k \Omega(f_k) \tag{6.24}$$

式中，$L(\phi)$ 代表从整个预测函数集合中找到一个最优的 ϕ；$l(\hat{y}_i,\ y_i)$是损失函数；$\Omega(f_k)$是正则化项，如下式所示：

$$\Omega(f_k)=\Upsilon T+\frac{1}{2}\lambda\|w\|_2 \tag{6.25}$$

式中，T 是叶子节点数；w 是叶子节点分数；Υ 表示一个超参数，用于控制叶子节点数量的惩罚力度；λ 表示一个超参数，用于控制叶子节点分数的 $L2$ 正则化惩罚力度。

为使得目标函数取得最小值，令其导数为零，则最小损失为：

$$\widetilde{L}_t(\phi)=-\frac{1}{2}\sum_{j=1}^{n}\frac{J_j^2}{H_j+\lambda}+\Upsilon T \tag{6.26}$$

式中，J_j 是第 j 个叶子节点上所有样本的一阶导数之和；H_j 是第 j 个叶子节点上所有样本的二阶导数之和。

XGBR 中回归决策树的叶子进行分裂时，定义增益（Gain）为：

$$\mathrm{Gain}=\frac{J_{\mathrm{L}}^2}{H_{\mathrm{L}}+\lambda}+\frac{J_{\mathrm{R}}^2}{H_{\mathrm{L}}+\lambda}-\frac{(J_{\mathrm{L}}+J_{\mathrm{R}})^2}{H_{\mathrm{L}}+H_{\mathrm{R}}+\lambda}-\Upsilon \tag{6.27}$$

式中，J_{L}、J_{R} 分别是分裂后左、右子节点上所有样本的一阶导数之和；H_{L}、H_{R} 分别是分裂后左、右子节点上所有样本的二阶导数之和。

6.1.2 实验设计与误差指标

（1）实验设计

在本小节中，假设跟驰车的瞬时速度仅与跟驰状态相关，独立于单个跟驰组。也就说，本书认为影响跟驰车瞬时速度变化的因素是特定的，且多个跟驰组之间跟驰车瞬时速度变化的规律是相似的。因此，根据上述假设我们给出以下实验方案来测试各个模型的预测性能，其中用于实验的跟驰数据划分流程如图 6.2 所示。

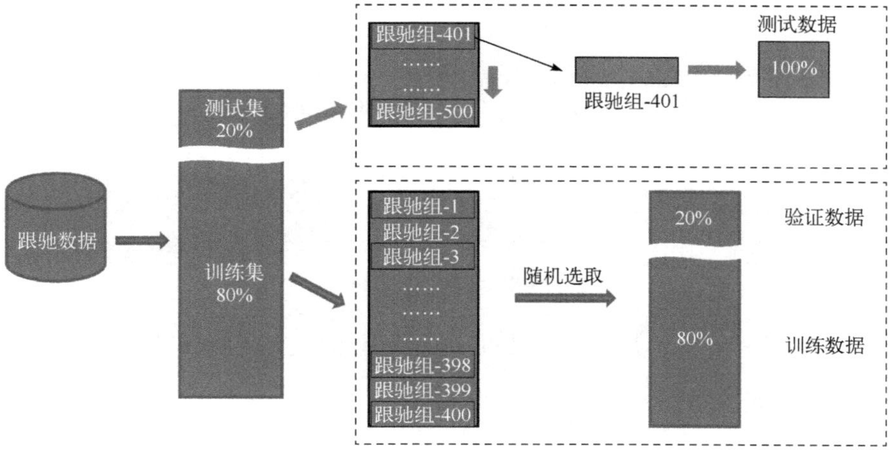

图 6.2　跟驰数据划分流程

① 从有效跟驰数据中选取 500 组数据，其中的 80％用于训练模型，20％用于测试模型预测精度。在各个模型训练时，训练数据从训练集中随机选取，也就是说各个跟驰组相同标签的数据被合并，然后随机选取 80％的数据用于训练模型。

② 数据集中包含的主要标签有速度、加速度和车头间距，本小节用到的仅限于跟驰车和其紧邻前车的数据。因此，除跟驰车自身速度外，其他数据列均用作输入数据。

③ 训练集中的数据以 0.8∶0.2 的比例划分为训练数据和验证数据，以实现模型的训练。

④ 测试集中的数据在验证各个模型的预测精度时，按照跟驰组依次进行预测，并计算各个跟驰组的预测误差。

⑤ 最后，各个瞬时速度预测模型的精度依据评估指标进行计算，并对比分析。

（2）误差指标

本小节中共选取四个评估指标用于分析各个模型的预测性能，它们依次为：平均绝对误差（MAE）、平均绝对百分比误差（MAPE）、均方根误差（RMSE）和绝对百分比误差的方差（VAPE）。其计算公式分别如下所示：

$$MAE=\frac{1}{T}\sum_{t=1}^{T}|v_t^{pre}-v_t^{obs}| \tag{6.28}$$

$$MAPE=\frac{1}{T}\sum_{t=1}^{T}\left|\frac{v_t^{pre}-v_t^{obs}}{v_t^{obs}}\right|\times 100\% \tag{6.29}$$

$$RMSE=\sqrt{\frac{1}{T}\sum\nolimits_{t=1}^{T}(v_t^{pre}-v_t^{obs})^2} \tag{6.30}$$

$$VAPE=\sqrt{\frac{T\sum\nolimits_{i=1}^{T}\left(\frac{|v_t^{pre}-v_t^{obs}|}{v_t^{obs}}\right)^2-\left[\sum\nolimits_{i=1}^{T}\left(\frac{|v_t^{pre}-v_t^{obs}|}{v_t^{obs}}\right)\right]^2}{T(T-1)}} \tag{6.31}$$

式中，v_t^{pre} 是预测速度值；v_t^{obs} 是观测速度值；T 是跟驰持续的时长。

此外，上述评估指标中，MAE、MAPE 和 RMSE 主要用于评估模型的预测精度，而 VAPE 则是用于评估模型的稳定性。

6.1.3 最佳瞬时速度预测方法的确定

为测试选择的数据驱动模型预测瞬时跟驰速度性能，本小节将 400 组有效跟驰数据用于训练模型，将 100 组有效跟驰数据用于测试模型。由于不同的跟驰组在行驶期间跟驰时长不同，因此将用于训练模型的 400 组跟驰数据的跟驰时长进行统计，可得表 6.1。

表 6.1 实测跟驰数据中跟车持续时长的统计结果（1）

项目	平均值	最小值	Q1	中位数	Q3	最大值
跟驰时长/s	88	60	73	85	100	160

注：Q1 表示第一四分位数；Q3 表示第三四分位数。

由表 6.1 可知，训练集中的跟驰时长分布在 60～160s 之间，并且有 75%的跟驰时长小于 100s。此外，根据设计的实验方案从训练数据集中随机挑选数据以训练模型，注意此时数据输入模型时并不按照时间序列模式进行。

然后，各个模型的训练误差和稳定性可以通过式（6.28）～式（6.31）进行评估，计算结果如表 6.2 所示。由表 6.2 可以发现：对于评估指标 MAE，随机森林回归模型的训练误差是 0.36，小于其他模型的训练误差；对于评估指标 MAPE，支持向量回归模型的训练误差最小，为 12.19%；对于评估指标 RMSE，随机森林回归模型的训练误差在 4 个模型中表现最好，误差低至 0.55；但是，从模型的稳定性指标 VAPE 的结果来看，支持向量回归模型具有最佳的 VAPE 值，为 0.28。因此，综合分析上述四个评估指标可知，支持向量回归模型和随机森林回归模型的训练误差更小，但结合模型稳定性后，支持向量回归模型的综合预测能力更加良好。

表 6.2 各个预测模型的训练误差对比

模型	MAE	MAPE /%	RMSE	VAPE
SVR	0.40	12.19	0.59	0.28
RFR	0.36	17.82	0.55	2.25
ABR	0.53	30.37	0.73	2.99
XGBR	0.49	27.99	0.67	2.90

根据训练好的模型，并用独立于训练集的 100 组测试跟驰数据检验模型的预测性能。首先，为避免由于跟驰时长分布的差异性导致预测精度不准确的问题，对 100 组测试跟驰数据的跟驰时长进行统计分析，结果如表 6.3 所示。

表 6.3 实测跟驰数据中跟车持续时长的统计结果（2）

项目	平均值	最小值	Q1	中位数	Q3	最大值
跟驰时长/s	92	62	75	89	104	175

注：Q1 表示第一四分位数；Q3 表示第三四分位数。

从表 6.3 可知，测试数据集的跟驰时长位于 62～175s 之间，且有 75%的跟驰时长小于 104s，说明测试数据集的跟驰时长分布与训练数据集的基本一致，该测试数据集可以用于验证模型的预测精度。然后，利用测试数据集分别对各个模型进行了测试，预测误差结果如图 6.3 所示，平均预测误差如表 6.4 所示。

表 6.4 和图 6.3 表明：对于 MAE，XGBR 回归模型的效果最好，然后支持向量回归模型的效果较差；对于 MAPE，XGBR 回归模型和 ABR 回归模型的预测效果比较接近，该指标下支持向量回归模型的预测精度仍然较差；对于 RMSE，XGBR 回归模型的误差值最小，为 0.64，而支持向量回归模型的预测误差为 1.39；在模型的稳定性方面，XGBR 回归模型的稳定性最好，VAPE 值低至 0.28。因此，综合不同的评估指标来看，XGBR 回归模型在预测跟驰期间的瞬时速度时效果最

好，其次是ABR回归模型，说明集成学习方法更适用于预测跟驰状态下的瞬时速度。

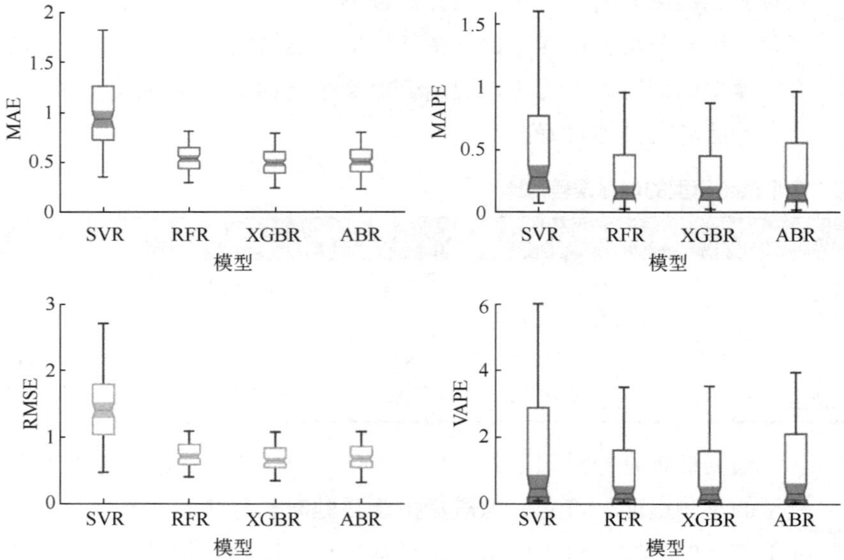

图6.3　各个模型的预测误差对比（1）

表6.4　各个预测模型的平均预测误差对比

模型	平均值			
	MAE	MAPE/%	RMSE	VAPE
SVR	0.93	28.06	1.39	0.43
RFR	0.54	16.24	0.70	0.29
ABR	0.51	15.50	0.67	0.29
XGBR	0.50	15.59	0.64	0.28

为观察各个模型的预测效果，本书选择了4组较为具有代表性的预测结果进行分析，如图6.4所示。从图6.4（c）和（d）可看出，各个模型在跟驰时长为120s和150s时，预测结果非常相近。当跟驰时长为60s和90s时，可明显看出支持向量回归模型的预测效果较差，与实测值差异较大；然而，XGBR回归模型和ABR回归模型的预测效果表现较好，尤其是当跟驰时长较短时预测效果更为明显。

为进一步分析各个模型的预测效果，以跟驰时长60s为例，将各个模型的预测值和实测值绘制如图6.5所示。可以看出，当跟驰时长相同且处于较短时长时，XGBR回归模型和ABR回归模型预测值与实测值

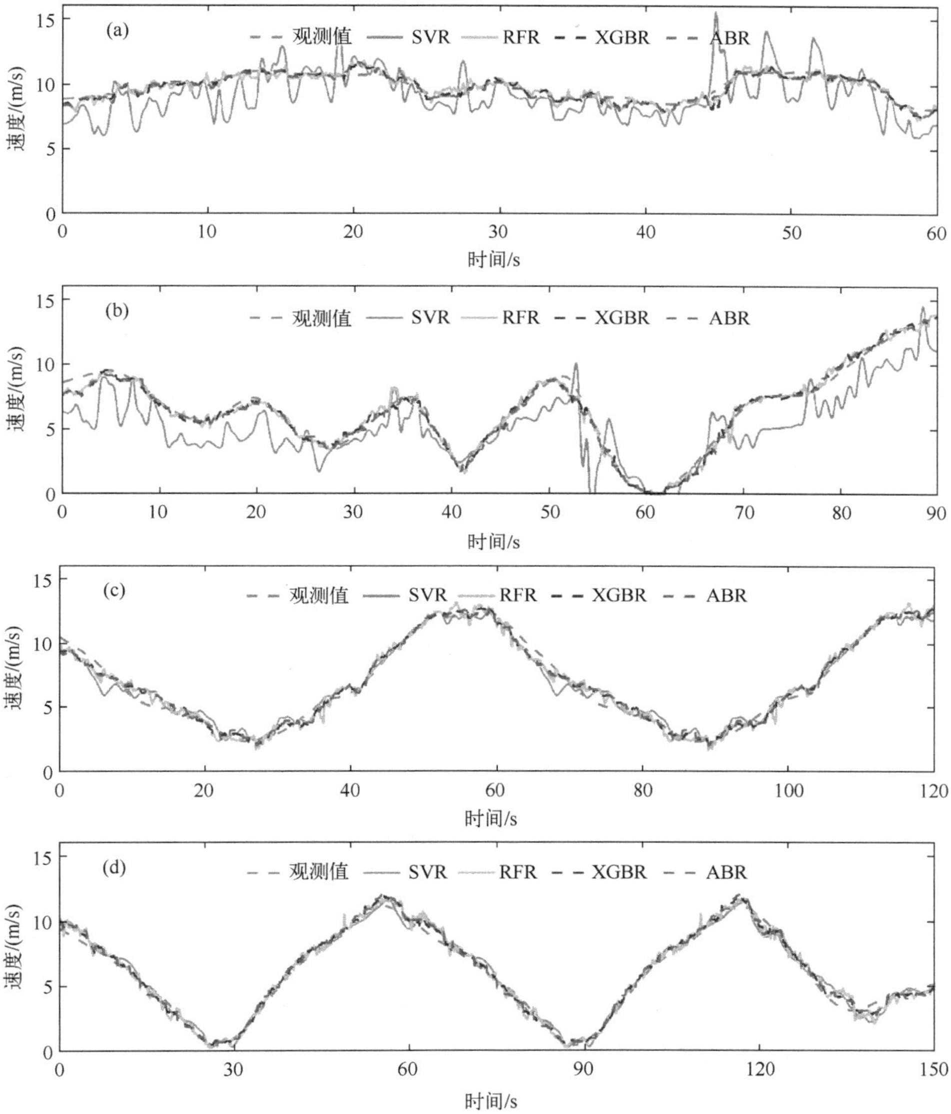

图 6.4 各个模型的预测误差对比（2）

最为接近，相反支持向量回归模型的预测结果较差，说明该模型在跟驰时长较短时预测效果一般。

基于上述分析可知，支持向量回归模型的训练误差虽是最小的，但其平均测试误差却是四个模型中最差的。值得注意的是，XGBR 回归模型在训练误差的表现上较为一般，但其在测试数据集中的预测精度却是

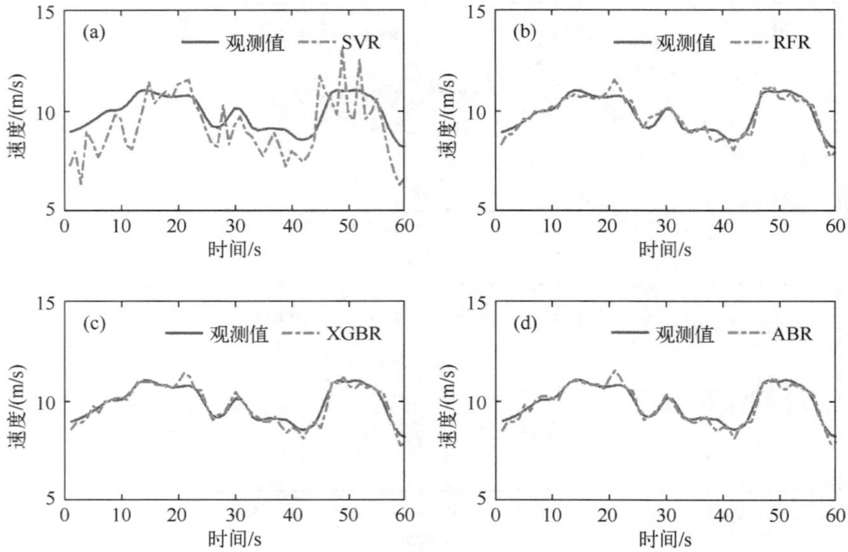

图 6.5　相同跟驰时长条件下各个模型的预测误差对比

最好的，并且模型的稳定性最优。另外，从上述预测模型的预测机制角度分析可知，跟驰数据是被随机选择并作为输入特征，用于训练模型；然而，在对测试集进行预测时，输入数据可以按照时间序列顺序输入，以用于获取预测值。因此，训练误差和预测误差可能存在不同。

此外，虽然支持向量回归模型和随机森林回归模型在测试集上的表现弱于后两者，但并不影响它们在预测瞬时速度上的优势，尤其是在跟驰时长较大时，支持向量回归模型和随机森林回归模型的预测精度与 XGBR 回归模型和 ABR 回归模型的预测精度差异并不大。也就是说，在跟驰时长较大时，支持向量回归模型的预测精度反而是最好的，但是考虑到大多数跟驰时长小于 100s，因此更加适用于预测跟驰期间瞬时速度的模型为 XGBR 回归模型。

综上所述，本小节验证了四个数据驱动模型对于预测跟驰期间瞬时速度的效果，结果表明 XGBR 回归模型在跟驰时长较短时（小于 100s 时）预测效果最好，而在跟驰时长较长时（大于 100s 时），支持向量回归模型的预测效果最好，这种结果表明基于数据驱动的方法可以用于跟驰期间的瞬时速度预测，且各具优势。因此，在下一节中，将充分考虑数据驱动方法在预测跟驰行为变化上的优点，建立更加精准的混合驱动跟驰模型以用于刻画跟驰行为。

6.2 考虑 LSTM 神经网络驱动的跟驰模型建立

6.2.1 问题的提出

根据文献综述发现：一是虽然传统跟驰模型受到领域内的广泛重视，其模型结构具备拓展性较强且能够复现和表征复杂的微观交通流特性等优点，然而，该类传统跟驰模型是基于常规交通流特性提出的，对智能网联环境下的跟驰行为难以适用；二是数据驱动跟驰模型虽能较为准确地描述跟驰行为和再现复杂的交通现象，但是不足之处在于模型的可解释性较差及不具备明确的统计物理意义。鉴于此，本书将数据驱动模型耦合至传统跟驰模型中，构建适用于描述智能网联环境下人工驾驶车辆跟驰行为的改进模型，使得该模型既能够灵活考虑影响跟驰行为的因素，同时还可从交通流理论的角度解释模型的统计物理意义。

对于传统跟驰模型而言，大量研究[22,28]已证明 FVD 模型非常适用于研究复杂交通流现象，如交通堵塞、时走时停现象等。但 FVD 模型存在一定局限：如果将 FVD 模型用于描述智能网联环境下车辆跟驰行为时，为计算 t 时刻的加速度，从 FVD 模型方程式可知需得到同时刻的速度、速度差、车头间距等。然而，即便是在完全智能网联环境下实现上述过程也非常困难，因为车辆在跟驰行驶时，由于车辆之间信息的交换存在传输延迟等限制[33]，驾驶人需基于历史时刻的运行信息来做出合理决策。换言之，FVD 模型描述的跟驰策略难以适用于智能网联环境下车辆跟驰控制，需对其模型结构进行优化，以便能够更加贴合实际地描述车辆跟驰行为。

6.2.2 跟驰模型的建立

长短期记忆（Long Short-Term Memory，LSTM）神经网络模型是由 Hochreiter 等[161]基于循环神经网络（Recurrent Neural Network，RNN）提出的一种改进模型，RNN 模型结构如图 6.6 所示。

RNN 模型在对长时间序列数据进行预测时，随着时间跨度的增加可能会出现梯度消失和梯度爆炸的现象，而 LSTM 神经网络模型可有

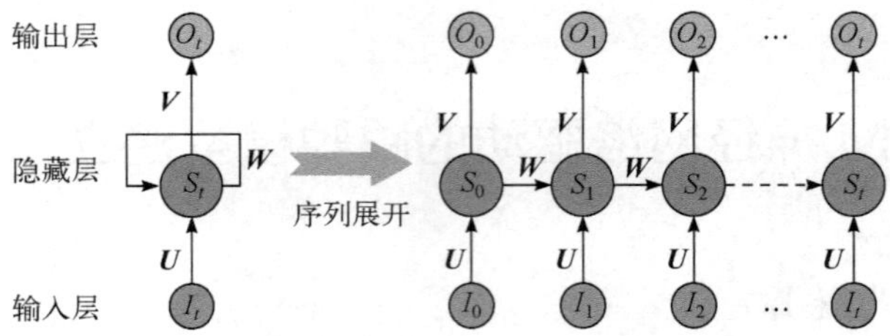

图 6.6　RNN 模型结构示意

效解决 RNN 对时序数据短期依赖的问题。LSTM 神经网络模型的计算流程如图 6.7 和式（6.32）～式（6.38）所示。

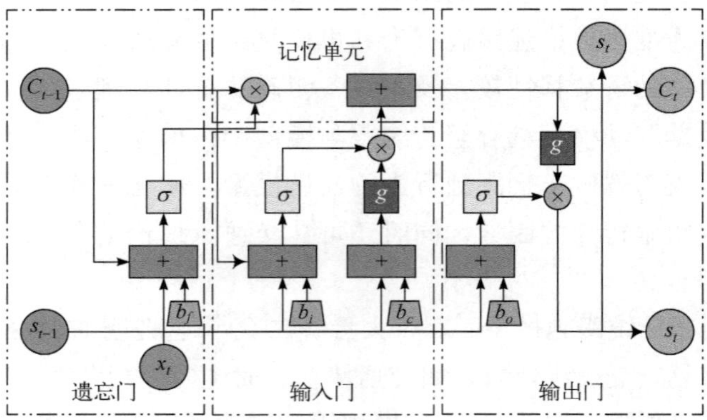

图 6.7　LSTM 神经网络模型中块结构示意

遗忘门：

$$\boldsymbol{f}_t=\sigma(\boldsymbol{W}_f\cdot x_t+\boldsymbol{U}_f\cdot s_{t-1}+\boldsymbol{V}_f\cdot C_{t-1}+b_f)\tag{6.32}$$

输入门：

$$\boldsymbol{i}_t=\sigma(\boldsymbol{W}_i\cdot x_t+\boldsymbol{U}_i\cdot s_{t-1}+\boldsymbol{V}_i\cdot C_{t-1}+b_i)\tag{6.33}$$

$$C_t=g(\boldsymbol{W}_c\cdot x_t+\boldsymbol{U}_c\cdot s_{t-1}+b_c)\tag{6.34}$$

记忆单元：

$$C_t=f_i\otimes C_{t-1}+i_t\otimes C_t\tag{6.35}$$

输出门：

$$\boldsymbol{o}_t=\sigma(\boldsymbol{W}_o\cdot x_t+\boldsymbol{U}_o\cdot s_{t-1}+\boldsymbol{V}_o\cdot C_{t-1}+b_o)\tag{6.36}$$

$$s_t=\boldsymbol{W}_s\cdot o_t+b_s\tag{6.37}$$

其中，

$$
\begin{cases}
\sigma(x)=\dfrac{1}{1-\mathrm{e}^{-x}} \\
g(x)=\tanh(x)=\dfrac{\mathrm{e}^{x}-\mathrm{e}^{-x}}{\mathrm{e}^{x}+\mathrm{e}^{-x}}
\end{cases}
\tag{6.38}
$$

式中，$\boldsymbol{f}_t$、$\boldsymbol{i}_t$ 和 $\boldsymbol{o}_t$ 依次表示 t 时刻遗忘门、输入门和输出门的激活向量；x_t、s_t 和 C_t 依次表示 t 时刻的输入数据、输出数据和单元状态；$\otimes$表示按元素乘积，即哈达玛积（Hadamard Product）；$\boldsymbol{W}$、$\boldsymbol{U}$、$\boldsymbol{V}$ 依次表示不同层的权重矩阵；b 表示偏置项；$\sigma(x)$ 和 $g(x)$ 表示激活函数。

鉴于 FVD 模型存在的局限，以及 LSTM 神经网络模型具有记忆功能和适用于预测长时间序列数据等优点，本书将 LSTM 神经网络模型耦合至 FVD 模型中，以使耦合后的改进模型适用于描述智能网联环境下的车辆跟驰行为，从而克服传统跟驰模型难以使用同时刻数据预测跟驰行为的不足。

在进行模型耦合计算时，并非直接在 FVD 模型中增加延迟项来计算当前时刻的加速度，而是先利用 LSTM 神经网络模型预测出当前时刻的速度、速度差、车头间距作为下一步计算的输入值，然后再使用 FVD 模型计算出当前时刻的加速度，并将该值作为改进模型的最终输出。该计算过程使得改进模型能够弥补 FVD 模型无法使用同时刻数据的不足，同时将 LSTM 的记忆功能耦合至改进模型中，使得改进模型可以基于历史信息优化当前的跟驰行为，充分兼顾传统模型和数据驱动模型各自的优点。

综上所述，本书提出基于 LSTM 神经网络的混合驱动跟驰模型，如式（6.39）所示。为便于描述，下文简称该模型为 LSTM-FVD 模型。

$$
\begin{cases}
\dfrac{\mathrm{d}v_n(t)}{\mathrm{d}t}=k\left[V(\Delta x^p(t))-v_n^p(t)\right]+\lambda\Delta v^p(t) \\
V(\Delta x^p(t))=V_1+V_2\tanh\left[C_1(\Delta x^p(t)-l_{\mathrm{c}})-C_2\right]
\end{cases}
\tag{6.39}
$$

式中，$\Delta x^p(t)$、$v_n^p(t)$ 和 $\Delta v^p(t)$ 表示通过 LSTM 模型预测得到的 t 时刻预测值；参数 V_1、V_2、C_1、C_2 取第 3 章 3.2 节的标定值，即依次为 8.373、27.647、0.013、0.104。

LSTM-FVD 模型的基本计算架构如图 6.8 所示。具体来说，以已有的跟驰数据作为基础数据集，针对不同的预测目标（Δx^p、v_n^p 和

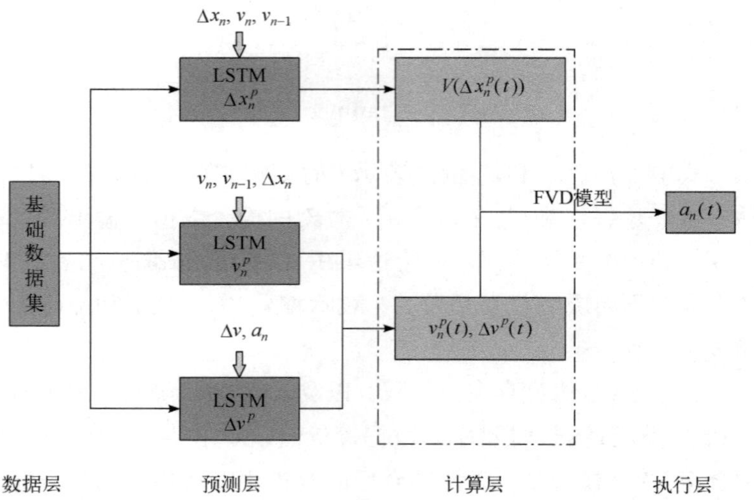

图 6.8 LSTM-FVD 模型的基本计算架构

Δv^p）选取不同的输入变量，并利用 LSTM 神经网络模型进行训练和预测。而后，通过计算层对上一层的预测结果进行转换和计算，最终得到当前时刻的加速度值 $a_n(t)$。根据 $a_n(t)$ 可更新车辆 n 的速度 $v_n(t)$ 和位置 $x_n(t)$，计算公式如式（6.40）所示。然后，可进一步求得 v_{n-1} 和 Δx，并再次输入至 LSTM 神经网络模型中预测下一时刻的 Δx^p、v_n^p 和 Δv^p，如此往复循环执行模型的动态更新。

$$\begin{cases} v_n(t+\Delta t)=v_n(t)+\Delta t a_n(t) \\ x_n(t+\Delta t)=x_n(t)+\Delta t v_n(t)+\dfrac{1}{2}a_n(t)(\Delta t)^2 \end{cases} \tag{6.40}$$

式中，Δt 表示仿真步长，取 0.1s。

为利用 LSTM 神经网络模型预测改进模型中核心变量的瞬时值，需确定在不同情形下 LSTM 神经网络模型预测时的输入变量。根据第 2 章关联度分析结果可知，跟驰车速度受前导车速度和车头间距影响较大，速度差与加速度的变化密切相关，而车头间距则与速度的关联度较大。因此，考虑到其他因素对预测变量影响较小以及为了简化模型输入，在预测跟驰车速度 v_n 时，令模型输入变量为 v_n、v_{n-1}、Δx_n；在预测速度差 Δv 时，令模型输入变量为 Δv、a_n；在预测跟驰车车头间距 Δx_n 时，令模型输入变量为 Δx_n、v_n、v_{n-1}。于是，可得 LSTM 预测层子模型的具体结构：

$$
\begin{cases}
v_n^p(t)=f_{v_n}(v_n, v_{n-1}, \Delta x_n) \\
\Delta v^p(t)=f_{\Delta v}(\Delta v, a_n) \\
\Delta x_n^p(t)=f_{\Delta x_n}(\Delta x_n, v_n, v_{n-1})
\end{cases}
\tag{6.41}
$$

式中，v_{n-1}、v_n、a_n、Δx_n、Δv 分别表示前导车速度、跟驰车速度、跟驰车加速度、跟驰车车头间距、两车速度差的历史时间序列信息。

6.3 模型参数设置与训练

6.3.1 模型参数设置

为训练 LSTM 神经网络子模型及保证模型结果的可靠性，将筛选的有效跟驰数据划分为训练集和测试集。由于 LSTM 神经网络模型中隐藏层层数和神经元个数的设置能够显著影响模型预测效果，因此需多次进行实验以确定最佳数量组合。

另一方面，考虑到确定精确的模型结构组合非常困难，且存在三种不同的预测对象，故需利用筛选数据训练模型以比选出相对最佳的数量组合。本次设隐藏层的选择范围为［1，5］，神经元个数的选择范围为［5，35］，初始学习率范围为［0.01，0.001］；为避免过拟合，当损失函数 20 次的结果差值小于 10^{-5} 时停止迭代。此外，选取模型预测效果的评价指标如式（6.42）所示。

$$
\mathrm{RMSE}=\sqrt{\frac{1}{n}\sum_{i=1}^{n}(\hat{f}_i-f_i)^2}
\tag{6.42}
$$

式中，$\hat{f}_i$ 表示 i 时刻的预测值；f_i 表示 i 时刻的观测值。

6.3.2 模型训练

模型训练方法为反向传播算法和随机梯度下降算法[162]，主要任务在于确定超参数和权重矩阵。具体来说，根据 LSTM 神经网络模型的计算公式前向求得 $\boldsymbol{f}_t$、$\boldsymbol{i}_t$、C_t、$\boldsymbol{o}_t$ 和 s_t，然后反向计算每个神经元的误差项，并计算对应权重和偏置项的梯度，最后使用随机梯度下降算法来更新不同层的权重矩阵以实现模型最优。其中，任意 t 时刻第 L 层误

差项 δ_t^L 反向传播的计算公式为：

$$\delta_t^L = \prod_{j=t}^{t-1} \delta_{o,j}^L \cdot \boldsymbol{U}_o + \delta_{f,j}^L \cdot \boldsymbol{U}_f + \delta_{i,j}^L \cdot \boldsymbol{U}_i + \delta_{c,j}^L \cdot \boldsymbol{U}_c \quad (6.43)$$

式中，δ_t^L 表示 t 时刻第 L 层神经元的误差项；$\delta_{o,j}^L$、$\delta_{f,j}^L$、$\delta_{i,j}^L$、$\delta_{c,j}^L$ 依次表示第 L 层输出门、遗忘门、输入门、状态单元沿时间反向传播的误差；$\boldsymbol{U}_o$、$\boldsymbol{U}_f$、$\boldsymbol{U}_i$、$\boldsymbol{U}_c$ 依次表示第 L 层输出门、遗忘门、输入门、状态单元的权重矩阵。

根据上述设置训练 LSTM 神经网络子模型，多次实验后结果表明：当预测 v_n 时，隐藏层数为 3，各层神经元数对应为 30、10、15，初始学习率为 0.001，迭代次数为 280 时预测效果最佳；当预测 Δv 时，隐藏层数设为 5，各层神经元数对应设为 20、15、10、5、10，初始学习率为 0.005，迭代次数为 305 时预测效果最佳；当预测 Δx_n 时，隐藏层数设为 3，各层神经元数对应设为 30、10、10，初始学习率为 0.001，迭代次数为 295 时预测效果最佳。此外，选择常见的 RNN 模型、XGBR 模型进行对比，结果如图 6.9 所示。

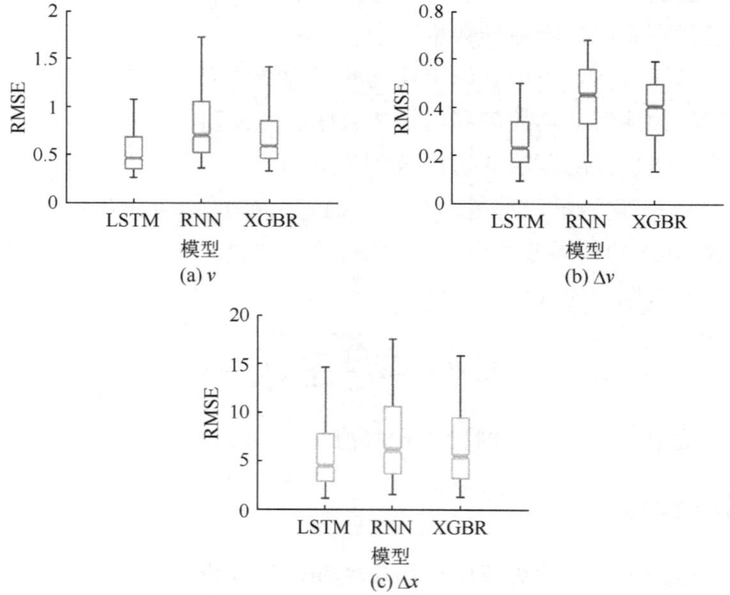

图 6.9 不同模型训练结果对比

由图 6.9 可知，相比于 RNN 模型和 XGBR 模型，LSTM 神经网络模型在预测时效果均较好，而 RNN 模型的预测效果相对较差。这是因为跟驰数据是强时间依赖型数据，而 LSTM 神经网络模型较为适用预测长时间序列数据，所以效果较好；虽然 RNN 模型和 XGBR 模型在其他方面预测性能较为不错，但在预测跟驰数据时无法克服对数据短期依赖的不足。因此，本书选用 LSTM 神经网络模型作为预测速度、速度差和车头间距的子模型。

6.4 仿真实验与结果分析

6.4.1 模型的稳定性能分析

现实交通环境中，跟驰行驶时遭遇突发事件较为常见，比如前车急刹车行为、行人横穿马路等，这些现象均会给交通系统施加干扰以至于打破先前的相对平衡态。因此，为充分验证本章建立的混合驱动跟驰模型的稳定性和动态性能，本节运用数值仿真方法分析混合驱动跟驰模型模拟跟驰车队在出现小扰动后对队列稳定性的影响，并选择 FVD 模型和 XGBR-FVD 模型作为对照模型，该模型计算过程与 LSTM-FVD 模型一致。

然后，根据改进遗传算法标定 FVD 模型参数[163]，初始设置：种群规模为 100，自适应交叉概率区间为 [0.5，0.9]，比例系数为 0.75，突变概率为 0.1，迭代轮数为 300。FVD 模型参数的初始取值范围为：$k \in [0,1]$，$\lambda \in [0,1]$，可求得参数 k 和 λ 分别为 0.31 和 0.76。此外，为在同一基准下对比分析，混合驱动跟驰模型中的 FVD 模型参数与上述相同。

本节的仿真场景设置为：假设仿真环形道路长度 $L=1500\text{m}$，车辆数 $N=100$，初始车头间距均为 15m，初始速度均为 4.67m/s。当 $t=50\text{s}$ 时，令编号为 50 的车辆车头间距增加 5m，编号为 51 的车辆车头间距减小 5m，以形成初始小扰动，从而观察其在不同模型中的演化趋势。此外，仿真计算流程见图 6.8，车辆速度和位移更新规则见式 (6.40)，仿真结果如图 6.10 和图 6.11 所示。

由图 6.10 可看出，当给车队施加扰动后，混合驱动跟驰模型和对照模型仿真车辆的速度均出现轻微波动。随着仿真时间增加，速度波动逐渐从车队中间开始向两侧扩散，最终打破原均速行驶状态，出现时走

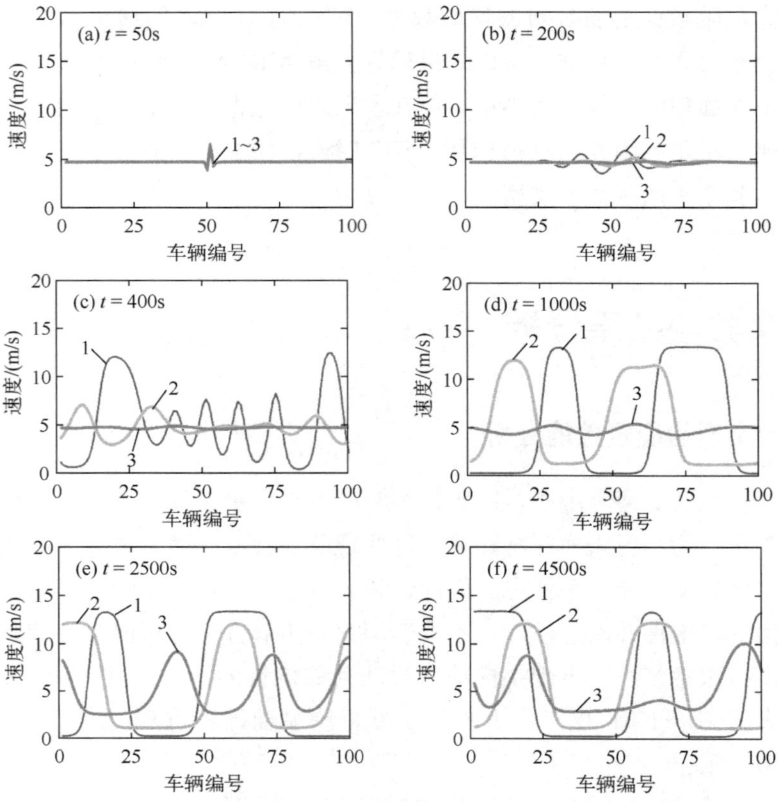

图 6.10　扰动对车队速度的影响

1—FVD；2—XGBR-FVD；3—LSTM-FVD

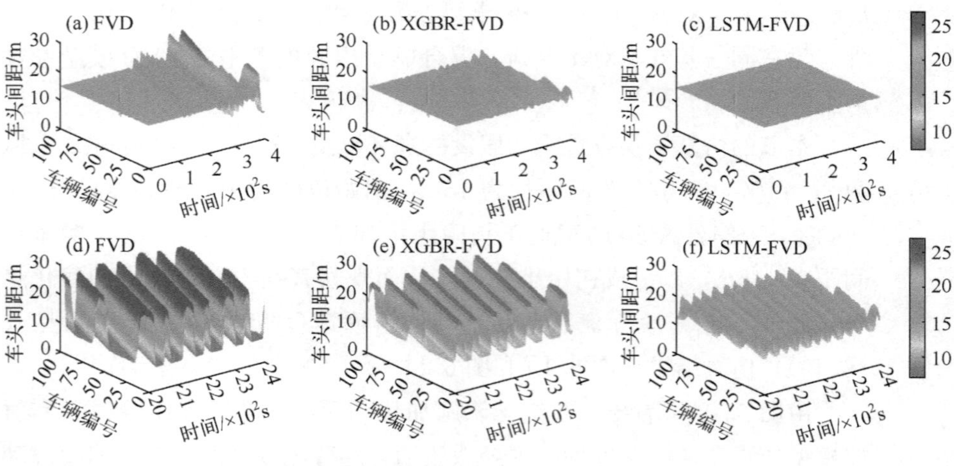

图 6.11　扰动对车队车头间距的影响

时停现象。但是，相比于 FVD 模型和 XGBR-FVD 模型，混合驱动跟驰模型受扰动干扰较小。在仿真开始阶段，混合驱动跟驰模型仿真车队的速度基本无变化，并且整个仿真期间改进模型仿真车队的速度波动较小，受扰动的影响较小。

图 6.11 反映了不同仿真时间段车头间距的变化趋势，可以看出在施加扰动后，FVD 模型和 XGBR-FVD 模型仿真车队的车头间距出现变化，尤其在 2000s 后车头间距波动幅度较大，表明此时的交通系统已经出现局部拥堵，时走时停现象逐渐严重。然而，从图 6.11 中也可看出，混合驱动跟驰模型在初始阶段基本不受扰动影响，虽然在仿真 2000s 后车队也出现时走时停现象，但是相比对照模型，混合驱动跟驰模型受扰动影响较为轻微，基本可以保持车队的稳定性，这种轻微的时走时停现象也更符合实际情况。

出现上述结果的原因可能是，相比于 FVD 模型，混合驱动跟驰模型由于耦合了 LSTM 神经网络而具备记忆功能，从而可根据历史数据输出更加合理的速度和车头间距；另一方面，由于 LSTM 神经网络是由自然驾驶数据训练而成，当小扰动数据输入混合驱动跟驰模型中时，可能会被模型认为是异常数据，最终模型输出的结果依然是更加稳健的结果。也就是说，混合驱动跟驰模型的属性相似于 LSTM 神经网络模型，其并不依赖于短期的时序数据，因此能够在扰动的干扰下使速度和车头间距的波动并不显著。

另一方面，本节进一步分析混合驱动跟驰模型描述跟驰行为中的迟滞现象。跟驰过程中的迟滞回环是指由瞬时速度和车头间距所构成的曲线（或称为 Δx-v 相位空间），迟滞环越小，说明交通流系统的稳定性越好，反之亦然。图 6.12 反映了在施加扰动后，FVD 模型和混合驱动跟驰模型的迟滞回环随时间的变化趋势。

从图中可以看出，当 $t=50$s 时两个模型的迟滞回环均缩小为点，说明此时的交通系统是稳定的；但随着仿真时间增加，FVD 模型和混合驱动跟驰模型的迟滞回环面积逐渐变大，当 $t=2500$s 时形成相对稳定大小的迟滞回环。该现象说明随着仿真时间推移，扰动对两个模型的影响均逐渐增加，但相对于 FVD 模型，混合驱动跟驰模型的迟滞回环面积始终较小，表明改进模型仿真的交通流运行更加稳定，可抑制扰动的传播。

此外，由文献［16］可知 FVD 模型中性稳定条件为：$V'(\Delta x)=$

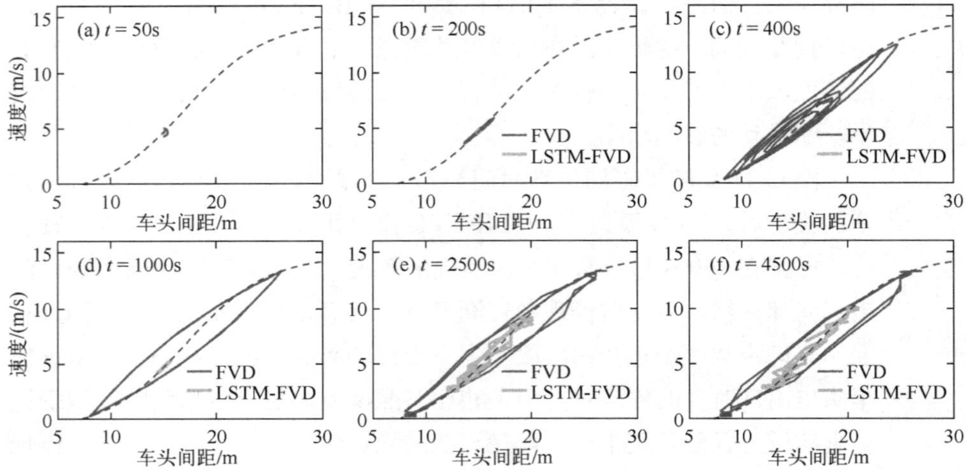

图 6.12　不同时刻下的迟滞回环

$0.5 \cdot k+\lambda$。由于混合驱动跟驰模型的整体框架与 FVD 模型基本一致，故其中性稳定性条件与 FVD 模型较为相似，即：$V'(\Delta x^{p})=0.5 \cdot k+\lambda$。但是，混合驱动跟驰模型中性稳定性条件的不同之处在于车头间距为 LSTM 神经网络模型预测得来，以及速度、速度差，也正是这一原因导致它们的迟滞回环存在差异。

综上所述，虽然混合驱动跟驰模型在扰动影响下同样出现了时走时停现象，但相对于对照模型，混合驱动跟驰模型的速度和车头间距波动更小，时走时停现象相对较为轻微，这些结果表明混合驱动跟驰模型的稳定性更好，可降低扰动对车队的影响。

6.4.2　模型的预测性能分析

不同于车队扰动仿真分析，本小节针对混合驱动跟驰模型的预测效果展开对比分析，传统模型选择 FVD 模型和 IDM 模型作为对照，数据驱动模型选择 LSTM 神经网络模型作为对照，混合驱动模型选择 XGBR-FVD 模型作为对照。此外，IDM 模型参数选取文献［134］依据 NGSIM 数据集标定的结果，LSTM 神经网络模型和 XGBR 模型的参数选取方法与 6.3.2 节一致，于是可得如图 6.13 和图 6.14 所示的预测结果。

由图 6.13 可看出，本章建立混合驱动跟驰模型的预测加速度更加接近观测值，XGBR-FVD 模型和 LSTM 神经网络模型的预测结果次

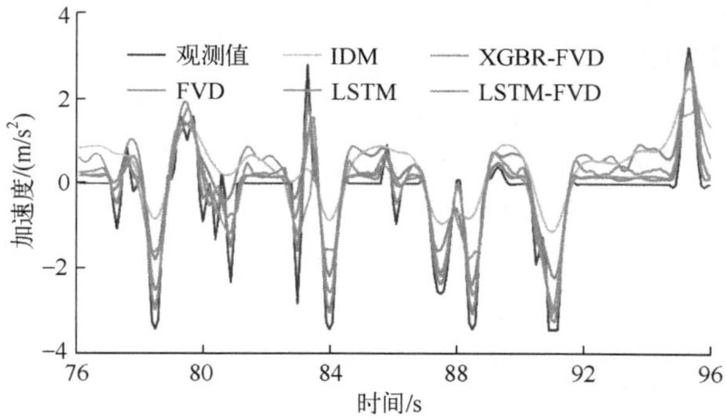

图 6.13　不同模型预测结果示例

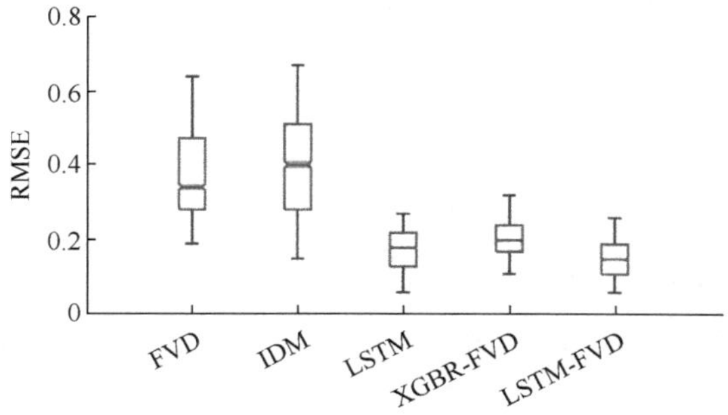

图 6.14　不同模型预测误差分布

之，FVD 模型和 IDM 模型的预测值与观测值偏离较大；尤其在车辆加减速过渡时，传统模型的预测效果更为不足，无法准确预测到加减速的峰值。例如，在 84s 左右时，改进模型、XGBR-FVD 模型和 LSTM 神经网络模型的预测值均较为接近观测峰值，但 FVD 模型和 IDM 模型的预测峰值与观测峰值差距较大，该结果说明传统跟驰模型提取数据特征的能力弱于数据驱动模型，无法较好地预测跟驰行为的变化规律；而对于数据驱动模型，由于 XGBR 模型在预测跟驰速度或车头间距时效果较为一般，导致其和 FVD 模型耦合后的预测效果提升不显著，如在 92～96s 加速度波动较为明显时，其预测效果明显弱于改进模型和 LSTM 神经网络模型，而 FVD 模型和 IDM 模型更难以预测出加速度的短时内快速波动现象。

因此，上述结果充分说明数据驱动模型与传统模型耦合后可显著提升其预测能力。此外，可发现本章建立的混合驱动跟驰模型与 LSTM

神经网络模型的预测精度差异较小，但本章建立的混合驱动跟驰模型的预测值与观测值更为接近。

为直观展示不同模型的预测误差分布，基于测试数据并根据式（6.42）可求得预测误差，结果如图 6.14 所示。从误差分布图中可发现本章建立的混合驱动跟驰模型和 LSTM 神经网络模型的预测误差显著小于其他模型，RNN 模型的预测效果次之，说明含数据驱动的模型在预测精度方面优于传统的动力学模型。然而，对于数据驱动模型，本章建立的混合驱动跟驰模型的预测误差又小于 LSTM 神经网络模型和 RNN 模型，说明数据驱动模型与动力学模型耦合后可进一步提升模型预测精度。

但是，本章建立的混合驱动跟驰模型在预测不同时刻的加速度时，预测结果没有 LSTM 神经网络模型稳定，预测曲线不如 LSTM 神经网络模型的平滑，该现象可从图 6.13 中发现。出现该结果的原因可能是本章建立的混合驱动跟驰模型耦合 FVD 模型后，由于其在不同时刻的预测精度差异较大，从而导致其在不同时刻的预测误差分布不稳定，但是本章建立的混合驱动跟驰模型的整体预测精度仍然优于其他模型，表明其能够较好地预测跟驰行为。

6.4.3 模型的安全性能分析

为评估本章建立的混合驱动跟驰模型的安全性能，选取基于碰撞时间（TTC）而建立的两个安全评估指标，分别是碰撞时间暴露时间（TET）和碰撞时间整合时间（TIT），计算方法如下：

$$\mathrm{TTC}_n(t)=\frac{x_{n-1}(t)-x_n(t)-l_c}{v_n(t)-v_{n-1}(t)},\ \forall v_n(t)>v_{n-1}(t) \tag{6.44}$$

$$\mathrm{TET}=\sum_{n=1}^{N}\sum_{t=0}^{T}\delta_n(t)\tau_{sc},\ \delta_n(t)=\begin{cases}1, & 0\leqslant \mathrm{TTC}_n(t)\leqslant \mathrm{TTC}^*\\ 0, & \text{其他}\end{cases} \tag{6.45}$$

$$\mathrm{TIT}=\sum_{n=1}^{N}\sum_{t=0}^{T}[\mathrm{TTC}^*-\mathrm{TTC}_n(t)]\tau_{sc},\ 0\leqslant \mathrm{TTC}_n(t)\leqslant \mathrm{TTC}^* \tag{6.46}$$

式中，l_c 为车长；τ_{sc} 为计算步长；TTC^* 为设定的安全阈值。

由上述指标可知，TET 和 TIT 的值越小，表明模型的安全水平越高。然后，基于测试数据集获得的预测加速度，依据公式（6.40）可求得每组数据对应的瞬时速度和车头间距，进而可根据上述计算公式获得所有跟驰组的 TET 和 TIT 值。此外，TTC 阈值分别选取 1.0、1.5、2.0、2.5 和 3.0 进行计算，并以改进模型进行 TET 和 TIT 结果与其他对照模型进行对比，分析改进模型相比其他对照模型的 TET 和 TIT 的降低幅度，结果如表 6.5 和表 6.6 所示。

表 6.5　TET 指标下改进模型的安全水平

模型	TET 降低的幅度（均值）/%				
	TTC^* = 1.0s	TTC^* = 1.5s	TTC^* = 2.0s	TTC^* = 2.5s	TTC^* = 3.0s
FVD	16.74	15.63	14.92	14.31	13.85
IDM	18.43	16.81	16.07	15.71	14.69
LSTM	8.48	7.59	6.89	6.12	5.91
XGBR-FVD	10.57	9.32	8.56	8.08	7.31

表 6.6　TIT 指标下改进模型的安全水平

模型	TIT 降低的幅度（均值）/%				
	TTC^* = 1.0s	TTC^* = 1.5s	TTC^* = 2.0s	TTC^* = 2.5s	TTC^* = 3.0s
FVD	17.98	16.76	15.96	15.28	14.75
IDM	19.93	18.16	17.33	16.91	15.79
LSTM	9.14	8.14	7.39	6.55	6.32
XGBR-FVD	11.05	9.74	8.93	8.41	7.59

由表 6.5 和表 6.6 可发现改进模型相比 FVD 模型和 IDM 模型的 TET 和 TIT 降低幅度最大，说明本章建立的混合驱动跟驰模型相对传统模型的安全水平提升较为显著。另外，本章建立的混合驱动跟驰模型相比 LSTM 神经网络模型的 TET 和 TIT 降低幅度最小，但其安全水平依然得到一定程度的提升。

此外，本章建立的混合驱动跟驰模型相比 XGBR-FVD 模型的 TET 和 TIT 降低幅度大于 LSTM 神经网络模型的，说明本章建立的混合驱动跟驰模型的安全水平更好；但由于 XGBR 模型在预测跟驰行为时性能弱于 LSTM 神经网络模型，因此导致 XGBR-FVD 模型的安全水平低于改进模型的。这些结果充分说明将数据驱动模型耦合至传统跟驰模型中后，可以显著提升模型的安全性能。

本章小结

通过考虑驾驶人记忆特性与车辆间信息互通的共同效应，将数据驱动方法耦合至传统模型中，以构建更加贴合实际的混合驱动跟驰模型。首先，选择支持向量机回归、随机森林、Adaptive Boosting 回归和 XGBoost 回归对跟驰瞬时速度进行预测建模，以论证数据驱动方法对于跟驰速度预测的可行性及选择最佳预测模型。通过设计对比实验进一步确定了 LSTM 神经网络模型在预测跟驰速度、车头间距等指标时效果更好。于是，考虑到数据驱动模型具有较好的预测效果及传统跟驰模型具有较好的可解释性等，将 LSTM 神经网络模型作为传统跟驰模型的子模型，从而构建出混合驱动跟驰模型，并基于跟驰数据对模型进行训练，设计仿真实验验证模型的综合性能。

研究结果表明，通过耦合 LSTM 神经网络模型和传统跟驰模型，可使得建立的混合驱动跟驰模型具备记忆功能和可解释性等特性，并且能够提升模型的稳定性、预测精度和安全水平。稳定性分析结果表明，相比对照模型，混合驱动跟驰模型仿真车队的速度和车头间距波动更小，能够降低车队交通拥堵的程度；预测结果表明，混合驱动跟驰模型的整体预测精度优于其他对照模型，能够较为准确地预测跟驰行为；安全评估结果表明，混合驱动跟驰模型在不同的 TTC 阈值下的 TET 和 TIT 降低幅度均大于对照模型，这进一步说明通过耦合数据驱动模型和传统跟驰模型能够显著提升模型的安全性能。

然而，未来应构建可融合多模型优势的混合驱动模型。本书虽基于机器学习方法建立了不同的跟驰模型，取得了一些研究结果，但建立的模型仍未突破现有的研究框架，未来应充分挖掘真实的跟驰数据，并结合机器学习、深度学习、优化算法等新理论、新技术构建更加先进的跟驰模型，使其既能描述常规车辆跟驰特性，又可以用于模拟智能网联车辆的跟驰行为。

[1] 中共中央, 国务院. 交通强国建设纲要[EB/OL]. (2019-09-19)[2021-09-01]. http://www.gov.cn/zhengce/2019-09/19/content_5431432.htm.
[2] 中华人民共和国国家统计局. 运输和邮电年度数据[EB/OL]. (2025-01-01) [2025-03-17]. https://data. stats. gov. cn/easyquery. htm?cn= C01.
[3] 中华人民共和国公安部. 全国机动车保有量达 4.53 亿辆 驾驶人达 5. 42 亿人 [EB/OL]. (2025-01-18) [2025-03-17]. https://www. gov. cn/lianbo/bumen/202501/content_6999762.htm.
[4] 高德地图, 国家信息中心大数据发展部, 清华大学-戴姆勒可持续交通联合研究中心, 等, 2024 年度中国主要城市交通分析报告[EB/OL]. (2025-02-20) [2025-03-17]. https://report. amap. com/download. do?spm= 379ed1f2.338df3b2.0.0.1ec87fe4sNQ8Z9&file= download.do.
[5] 中国日报中文网.《数字出行助力碳中和》研究报告发布 [EB/OL]. (2021-06-05)[2021-09-01]. https://cn.chinadaily.com.cn/a/202106/05/WS60bb527ca3101e7ce97537bd.html.
[6] Kessels F, Kessels, Rauscher. Traffic Flow Modelling[M]. New York: Springer International Publishing, 2019.
[7] Treiber M, Kesting A. Traffic Flow Dynamics: Data, Models and Simulation [M]. New York: Springer International Publishing, 2013.
[8] 李力, 等. 现代交通流理论与应用[M]. 北京: 清华大学出版社, 2011.
[9] 王昊, 等. 交通流理论及应用[M]. 北京: 人民交通出版社, 2020.
[10] Reuschel A. Fahrzeugbewegungen in der Kolonne [J]. Oesterreichisches Ingenieur-Archir, 1950, 4(3/4): 193-215.
[11] Pipes L A. An operational analysis of traffic dynamics[J]. Journal of Applied Physics, 1953, 24(3): 274-281.
[12] Gazis D C, Herman R, Rothery R W. Nonlinear follow-the-leader models of traffic flow[J]. Operations Research, 1961, 9(4): 545-567.
[13] Wiedemann R. Simulation of road traffic in traffic flow[J]. University of Karlsruhe, Karlsruhe, Germany, 1974.
[14] Gipps P G. A behavioural car-following model for computer simulation [J]. Transportation Research Part B: Methodological, 1981, 15(2): 105-111.
[15] Bando M, Hasebe K, Nakayama A, et al. Dynamical model of traffic congestion and numerical simulation[J]. Physical Review E, 1995, 51(2): 1035.
[16] Jiang R, Wu Q, Zhu Z. Full velocity difference model for a car-following theory[J]. Physical Review E, 2001, 64(1): 017101.
[17] Nagel K, Schreckenberg M. A cellular automaton model for freeway traffic[J]. Journal de Physique I, 1992, 2(12): 2221-2229.
[18] Kikuchi S, Chakroborty P. Car-following model based on fuzzy inference system[J]. Transportation Research Record, 1992: 82.
[19] Treiber M, Hennecke A, Helbing D. Congested traffic states in empirical observations and microscopic simulations [J]. Physical Review E, 2000, 62(2): 1805.
[20] Brackstone M, McDonald M. Car-following: A historical review[J]. Transportation Research Part F: Traffic Psychology and Behaviour, 1999, 2(4): 181-196.
[21] 何民, 刘小明, 荣建. 交通流跟驰模型研究进展[J]. 人类工效学, 2000, 6(02): 46-50.
[22] 金春霞, 王慧. 跟车模型及其稳定性分析综述[J]. 交通运输系统工程与信息, 2001, 1(03): 220-225.
[23] 张智勇, 荣建, 任福田. 跟车模型研究综述[J]. 公路交通科技, 2004, 21(08): 108-113.
[24] 王殿海, 金盛. 车辆跟驰行为建模的回顾与展望[J]. 中国公路学报, 2012, 25(01): 115-127.

参考文献

[25] Li Y, Sun D. Microscopic car-following model for the traffic flow: The state of the art[J]. Journal of Control Theory and Applications, 2012, 10(2): 133-143.
[26] Saifuzzaman M, Zheng Z. Incorporating human-factors in car-following models: A review of recent developments and research needs[J]. Transportation Research Part C: Emerging Technologies, 2014, 48: 379-403.
[27] Aghabayk K, Sarvi M, Young W. A state-of-the-art review of car-following models with particular considerations of heavy vehicles [J]. Transport Reviews, 2015, 35(1): 82-105.
[28] 杨龙海, 张春, 仇晓赟, 等. 车辆跟驰模型研究进展[J]. 交通运输工程学报, 2019, 19(05): 125-138.
[29] Zhu L, Yu F, Wang Y, et al. Big data analytics in intelligent transportation systems: A survey [J]. IEEE Transactions on Intelligent Transportation Systems, 2019, 20(1): 383-398.
[30] Talal M, Ramli K, Zaidan A, et al. Review on car-following sensor based and data-generation mapping for safety and traffic management and road map toward ITS [J]. Vehicular Communications, 2020, 25: 100280.
[31] Shariff M, Puan O, Mashros N. Review of traffic data collection methods for drivers' car-following behaviour under various weather conditions[J]. Jurnal Teknologi, 2016, 78(4): 37-47.
[32] 贺正冰, 徐瑞康, 谢东繁, 等. 数据驱动跟驰模型综述[J]. 交通运输系统工程与信息, 2021, 21(05): 102-113.
[33] 秦严严, 王昊, 王炜, 等. 自适应巡航控制车辆跟驰模型综述[J]. 交通运输工程学报, 2017, 17(03): 121-130.
[34] Do W, Rouhani O, Miranda-Moreno L. Simulation-based connected and automated vehicle models on highway sections: A literature review[J]. Journal of Advanced Transportation, 2019.
[35] Matcha B N, Namasivayam S, Hosseini Fouladi M, et al. Simulation strategies for mixed traffic conditions: A review of car-following models and simulation frameworks [J]. Journal of Engineering, 2020.
[36] Punzo V, Zheng Z, Montanino M. About calibration of car-following dynamics of automated and human-driven vehicles: methodology, guidelines and codes [J]. Transportation Research Part C: Emerging Technologies, 2021, 128: 103165.
[37] Sun J, Zheng Z, Sun J. Stability analysis methods and their applicability to car-following models in conventional and connected environments [J]. Transportation Research Part B: Methodological, 2018, 109: 212-237.
[38] Helbing D, Tilch B. Generalized force model of traffic dynamics[J]. Physical Review E, 1998, 58(1): 133.
[39] Newell G F. Nonlinear effects in the dynamics of car-following[J]. Operations Research, 1961, 9(2): 209-229.
[40] Yu L, Li T, Shi Z K. Density waves in a traffic flow model with reaction-time delay [J]. Physica A: Statistical Mechanics and its Applications, 2010, 389(13): 2607-2616.
[41] Davis L C. Modifications of the optimal velocity traffic model to include delay due to driver reaction time[J]. Physica A: Statistical Mechanics and its Applications, 2003, 319: 557-567.
[42] Chen J, Liu R, et al. A new multi-anticipative car-following model with consideration of the desired following distance [J]. Nonlinear Dynamics, 2016, 85(4): 2705-2717.
[43] Kuang H, Wang M, Lu F, et al. An extended car-following model

considering multi-anticipative average velocity effect under V2V environment [J]. Physica A: Statistical Mechanics and Its Applications, 2019, 527: 121268.
[44] Tang T, Li C Y, Huang H J. A new car-following model with the consideration of the driver's forecast effect[J]. Physics Letters A, 2010, 374(38): 3951-3956.
[45] Peng G. A new car-following model with driver's anticipation effect of traffic interruption probability[J]. Chinese Physics B, 2020, 29(8): 084501.
[46] Sun Y, Ge H, Cheng R. An extended car-following model considering driver's memory and average speed of preceding vehicles with control strategy[J]. Physica A: Statistical Mechanics and Its Applications, 2019, 521: 752-761.
[47] Jin Y, Meng J. Dynamical analysis of an optimal velocity model with time-delayed feedback control [J]. Communications in Nonlinear Science and Numerical Simulation, 2020, 90: 105333.
[48] 王昊, 秦严严. 网联车混合交通流渐进稳定性解析方法[J]. 哈尔滨工业大学学报, 2019, 51(03): 88-91.
[49] Ge H, Cheng R, Li Z. Two velocity difference model for a car following theory [J]. Physica A: Statistical Mechanics and Its Applications, 2008, 387(21): 5239-5245.
[50] Ge H, Zhu H, Dai S. Effect of looking backward on traffic flow in a cooperative driving car following model[J]. The European Physical Journal B-Condensed Matter and Complex Systems, 2006, 54(4): 503-507.
[51] Li S, Cheng R, Ge H. An improved car-following model considering electronic throttle dynamics and delayed velocity difference [J]. Physica A: Statistical Mechanics and its Applications, 2020, 558: 125015.
[52] Zheng Y, Lei L, Zheng P, et al. A modified car-following model with variable safety distance and its numerical simulation [J]. Asian Journal of Control, 2016, 18(5): 1706-1713.
[53] Xu X, Pang J, Monterola C. Asymmetric optimal-velocity car-following model [J]. Physica A: Statistical Mechanics and its Applications, 2015, 436: 565-571.
[54] Lai Y, Wu K. Effect of individual differences on the jamming transition in traffic flow[J]. Physical Review E, 2021, 104(1): 014311.
[55] Yang D, Jin P, Pu Y, et al. Stability analysis of the mixed traffic flow of cars and trucks using heterogeneous optimal velocity car-following model [J]. Physica A: Statistical Mechanics and its Applications, 2014, 395: 371-383.
[56] Wang P, Yu G, Wu X, et al. Linear and nonlinear stability analysis of an extended car-following model considering pedestrians on adjacent lane[J]. Nonlinear Dynamics, 2017, 88(1): 777-789.
[57] Zhai C, Wu W. A new car-following model considering driver's characteristics and traffic jerk[J]. Nonlinear Dynamics, 2018, 93(4): 2185-2199.
[58] Cheng R, Ge H, Wang J. The nonlinear analysis for a new continuum model considering anticipation and traffic jerk effect[J]. Applied Mathematics and Computation, 2018, 332: 493-505.
[59] Guan X, Cheng R, Ge H. Bifurcation control of optimal velocity model through anticipated effect and response time-delay feedback methods [J]. Physica A: Statistical Mechanics and its Applications, 2021, 574: 125972.
[60] Zhou J, Shi Z, Cao J L. Nonlinear analysis of the optimal velocity

difference model with reaction-time delay[J]. Physica A: Statistical Mechanics and its Applications, 2014, 396: 77-87.

[61] Liu B, Zhang G. A double velocity control method for a discrete-time cooperative driving system with varying time-delay[J]. Physica A: Statistical Mechanics and its Applications, 2021, 565: 125579.

[62] Hu Y, Ma T, Chen J. An extended multi-anticipative delay model of traffic flow[J]. Communications in Nonlinear Science and Numerical Simulation, 2014, 19(9): 3128-3135.

[63] 彭勇, 刘世洁, Dennis Z. 前后多车影响的跟驰模型及稳定性分析[J]. 交通运输系统工程与信息, 2018, 18(06): 41-47, 80.

[64] 宗芳, 石佩鑫, 王猛, 等. 考虑前后多车的网联自动驾驶车辆混流跟驰模型[J]. 中国公路学报, 2021, 34(07): 105-117.

[65] Guo L, Zhao X, Yu S, et al. An improved car-following model with multiple preceding cars' velocity fluctuation feedback[J]. Physica A: Statistical Mechanics and its Applications, 2017, 471: 436-444.

[66] Yu S, Huang M, Ren J, et al. An improved car-following model considering velocity fluctuation of the immediately ahead car[J]. Physica A: Statistical Mechanics and its Applications, 2016, 449: 1-17.

[67] Yu S, Shi Z. An improved car-following model considering relative velocity fluctuation[J]. Communications in Nonlinear Science and Numerical Simulation, 2016, 36: 319-326.

[68] Yu S, Zhao X, Xu Z, et al. An improved car-following model considering the immediately ahead car's velocity difference[J]. Physica A: Statistical Mechanics and Its Applications, 2016, 461: 446-455.

[69] Yu S, Tang J, Xin Q. Relative velocity difference model for the car-following theory[J]. Nonlinear Dynamics, 2018, 91(3): 1415-1428.

[70] Tang T, Shi W, Shang H, et al. A new car-following model with consideration of inter-vehicle communication [J]. Nonlinear Dynamics, 2014, 76(4): 2017-2023.

[71] Tang T, Shi W, Shang H, et al. An extended car-following model with consideration of the reliability of inter-vehicle communication [J]. Measurement, 2014, 58: 286-293.

[72] Zhao J, Li P. An extended car-following model with consideration of vehicle-to-vehicle communication of two conflicting streams [J]. Physica A: Statistical Mechanics and its Applications, 2017, 473: 178-187.

[73] 秦严严, 王昊. 智能网联车辆交通流优化对交通安全的改善[J]. 中国公路学报, 2018, 31(04): 202-210.

[74] 王祺, 谢娜, 侯德藻, 等. 自适应巡航及协同式巡航对交通流的影响分析[J]. 中国公路学报, 2019, 32(06): 188-197, 205.

[75] Yu S, Shi Z. An extended car-following model considering vehicular gap fluctuation[J]. Measurement, 2015, 70: 137-147.

[76] Kuang H, Xu Z, Li X, et al. An extended car-following model accounting for the average headway effect in intelligent transportation system[J]. Physica A: Statistical Mechanics and its Applications, 2017, 471: 778-787.

[77] Wang J, Sun F, Cheng R, et al. An extended car-following model considering random safety distance with different probabilities[J]. Modern Physics Letters B, 2018, 32(05): 1850056.

[78] Ma G, Ma M, Liang S, et al. Nonlinear analysis of the car-following model considering headway changes with memory and backward-looking effect [J]. Physica A: Statistical Mechanics and its Applications, 2021, 562: 125303.

[79] Sun D, Liao X, Peng G. Effect of looking backward on traffic flow in an extended multiple car-following model[J]. Physica A: Statistical Mechanics and its Applications, 2011, 390(4): 631-635.
[80] Ma G, Ma M, Liang S, et al. An improved car-following model accounting for the time-delayed velocity difference and backward looking effect [J]. Communications in Nonlinear Science and Numerical Simulation, 2020, 85: 105221.
[81] Ma M, Ma G, Liang S. Density waves in car-following model for autonomous vehicles with backward looking effect [J]. Applied Mathematical Modelling, 2021, 94: 1-12.
[82] Peng G, Cai X, Liu C, et al. Optimal velocity difference model for a car-following theory[J]. Physics Letters A, 2011, 375(45): 3973-3977.
[83] Peng G, Lu W, He H, et al. Nonlinear analysis of a new car-following model accounting for the optimal velocity changes with memory[J]. Communications in Nonlinear Science and Numerical Simulation, 2016, 40: 197-205.
[84] Yan C, Ge H, Cheng R. An extended car-following model by considering the optimal velocity difference and electronic throttle angle[J]. Physica A: Statistical Mechanics and its Applications, 2019, 535: 122216.
[85] Tang T, Wang Y, Yang X, et al. A new car-following model accounting for varying road condition [J]. Nonlinear Dynamics, 2012, 70(2): 1397-1405.
[86] Tang T, Li J, Huang H, et al. A car-following model with real-time road conditions and numerical tests[J]. Measurement, 2014, 48: 63-76.
[87] Sun Y, Ge H, Cheng R. An extended car-following model considering driver's desire for smooth driving on the curved road [J]. Physica A: Statistical Mechanics and its Applications, 2019, 527: 121426.
[88] Zhou T, Sun D, Kang Y, et al. A new car-following model with consideration of the prevision driving behavior[J]. Communications in Nonlinear Science and Numerical Simulation, 2014, 19(10): 3820-3826.
[89] Zhang Y, Xiang W, Dong J, et al. An improved car-following model considering forecast speed difference with delay time[J]. Modern Physics Letters B, 2019, 33(33): 1950414.
[90] Yu S, Liu Q, Li X. Full velocity difference and acceleration model for a car-following theory [J]. Communications in Nonlinear Science and Numerical Simulation, 2013, 18(5): 1229-1234.
[91] Li T, Hui F, Zhao X. An improved car-following model considering the impact of safety messages[J]. Modern Physics Letters B, 2018, 32(32): 1850398.
[92] Ngoduy D, Li T. Hopf bifurcation structure of a generic car-following model with multiple time delays [J]. Transportmetrica A: Transport Science, 2021, 17(4): 878-896.
[93] Ren W, Cheng R, Ge H. Nonlinear and bifurcation analysis for a novel heterogeneous continuum model and numerical tests [J]. Transportmetrica B: Transport Dynamics, 2022, 10(1): 111-138.
[94] Ren W, Cheng R, Ge H. Bifurcation analysis of a heterogeneous continuum traffic flow model [J]. Applied Mathematical Modelling, 2021, 94: 369-387.
[95] Li Y, Zhang L, Peeta S, et al. A car-following model considering the effect of electronic throttle opening angle under connected environment[J]. Nonlinear Dynamics, 2016, 85(4): 2115-2125.

[96] Sun Y, Ge H, Cheng R. A car-following model considering the effect of electronic throttle opening angle over the curved road[J]. Physica A: Statistical Mechanics and its Applications, 2019, 534: 122377.
[97] Malenje J O, Zhao J, Li P, et al. An extended car-following model with the consideration of the illegal pedestrian crossing[J]. Physica A: Statistical Mechanics and its Applications, 2018, 508: 650-661.
[98] Tang T, Huang H, Wong S C, et al. A new car-following model with consideration of the traffic interruption probability [J]. Chinese Physics B, 2009, 18(3): 975.
[99] Li C, Tang T, Huang H, et al. A new car-following model with consideration of driving resistance [J]. Chinese Physics Letters, 2011, 28(3): 038902.
[100] Jin S, Wang D, Xu C, et al. Staggered car-following induced by lateral separation effects in traffic flow[J]. Physics Letters A, 2012, 376(3): 153-157.
[101] Zhou J. An extended visual angle model for car-following theory [J]. Nonlinear Dynamics, 2015, 81(1): 549-560.
[102] Jiang N, Yu B, Cao F, et al. An extended visual angle car-following model considering the vehicle types in the adjacent lane [J]. Physica A: Statistical Mechanics and its Applications, 2021, 566: 125665.
[103] Tang T, Chen L, Yang S, et al. An extended car-following model with consideration of the electric vehicle's driving range [J]. Physica A: Statistical Mechanics and its Applications, 2015, 430: 148-155.
[104] Tang T, Luo X, Liu K. Impacts of the driver's bounded rationality on the traffic running cost under the car-following model [J]. Physica A: Statistical Mechanics and its Applications, 2016, 457: 316-321.
[105] Kuang H, Xu Z, Li X, et al. An extended car-following model accounting for the honk effect and numerical tests[J]. Nonlinear Dynamics, 2017, 87(1): 149-157.
[106] Zhang J, Tang T, Yu S. An improved car-following model accounting for the preceding car's taillight [J]. Physica A: Statistical Mechanics and its Applications, 2018, 492: 1831-1837.
[107] Tan J. Impact of risk illusions on traffic flow in fog weather[J]. Physica A: Statistical Mechanics and its Applications, 2019, 525: 216-222.
[108] 王雪松, 朱美新. 基于自然驾驶数据的中国驾驶人城市快速路跟驰模型标定与验证[J]. 中国公路学报, 2018, 31(09): 129-137.
[109] 王雪松, 孙平, 张晓春, 等. 基于自然驾驶数据的高速公路跟驰模型参数标定[J]. 中国公路学报, 2020, 33(05): 132-142.
[110] Zhao X, Wang Z, Xu Z, et al. Field experiments on longitudinal characteristics of human driver behavior following an autonomous vehicle [J]. Transportation Research Part C: Emerging Technologies, 2020, 114: 205-224.
[111] 邱小平, 孙若晓, 于丹, 等. 改进的基于模糊推理的车辆跟驰行为分析方法[J]. 华南理工大学学报(自然科学版), 2015, 43(08): 135-143.
[112] Kehtarnavaz N, Groswold N, Miller K, et al. A transportable neural-network approach to autonomous vehicle following [J]. IEEE Transactions on Vehicular Technology, 1998, 47(2): 694-702.
[113] Colombaroni C, Fusco G. Artificial neural network models for car following: experimental analysis and calibration issues[J]. Journal

of Intelligent Transportation Systems, 2014, 18(1): 5-16.
[114] Hua C. A new car-following model considering recurrent neural network[J]. International Journal of Modern Physics B, 2019, 33 (26): 1950304.
[115] Huang X, Sun J, Sun J. A car-following model considering asymmetric driving behavior based on long short-term memory neural networks[J]. Transportation Research Part C: Emerging Technologies, 2018, 95: 346-362.
[116] Lin Y, Wang P, Zhou Y, et al. Platoon trajectories generation: a unidirectional interconnected ISTM-based car-following model[J]. IEEE Transactions on Intelligent Transportation Systems, 2020.
[117] 孙倩, 郭忠印. 基于长短期记忆神经网络方法的车辆跟驰模型[J]. 吉林大学学报(工学版), 2020, 50(04): 1380-1386.
[118] 李林波, 李瑞杰, 邹亚杰. 考虑驾驶员模糊感知的深度学习跟驰模型[J]. 同济大学学报(自然科学版), 2021, 49(03): 360-369.
[119] Wang X, Jiang R, Li L, et al. Capturing car-following behaviors by deep learning[J]. IEEE Transactions on Intelligent Transportation Systems, 2017, 19(3): 910-920.
[120] Wu Y, Tan H, Chen X, et al. Memory, attention and prediction: a deep learning architecture for car-following[J]. Transportmetrica B: Transport Dynamics, 2019, 7(1): 1553-1571.
[121] 朱冰, 蒋渊德, 赵健, 等. 基于深度强化学习的车辆跟驰控制[J]. 中国公路学报, 2019, 32(06): 53-60.
[122] Zhu M, Wang X, Wang Y. Human-like autonomous car-following model with deep reinforcement learning[J]. Transportation Research Part C: Emerging Technologies, 2018, 97: 348-368.
[123] Zhou Y, Fu R, Wang C. Learning the car-following behavior of drivers using maximum entropy deep inverse reinforcement learning[J]. Journal of Advanced Transportation, 2020, 2020.
[124] 梁军, 王军, 杨云庆, 等. 网联车对抗神经网络跟驰模型[J]. 汽车工程, 2021, 43(02): 189-195, 203.
[125] He Z, Zheng L, Guan W. A simple nonparametric car-following model driven by field data[J]. Transportation Research Part B: Methodological, 2015, 80: 185-201.
[126] 张兰芳, 朱佩玄, 杨旻皓, 等. 基于数据驱动的城市地下快速路跟驰行为模型构建[J]. 同济大学学报(自然科学版), 2021, 49(05): 661-669.
[127] Chen T, Wong Y D, Shi X, et al. A data-driven feature learning approach based on copula-Bayesian network and its application in comparative investigation on risky lane-changing and car-following maneuvers[J]. Accident Analysis & Prevention, 2021, 154: 106061.
[128] Hao S, Yang L, Shi Y. Data-driven car-following model based on rough set theory[J]. IET Intelligent Transport Systems, 2018, 12(1): 49-57.
[129] 凌立文, 张大斌. 组合预测模型构建方法及其应用研究综述[J]. 统计与决策, 2019, 35(01): 18-23.
[130] 丁点点, 孙磊, 陈松. 机器学习——动力学耦合车辆跟驰模型[J]. 交通运输系统工程与信息, 2017, 17(06): 33-39.
[131] Yang D, Zhu L, Liu Y, et al. A novel car-following control model combining machine learning and kinematics models for automated vehicles[J]. IEEE Transactions on Intelligent Transportation Systems, 2018, 20(6): 1991-2000.
[132] 罗颖, 秦文虎. 基于 IDM 与 RBFNN 的组合型车辆低速跟驰模型[J]. 计算机应用研究, 2020, 37(08): 2354-2357, 2380.

[133] Chen X, Sun J, Ma Z, et al. Investigating the long-and short-term driving characteristics and incorporating them into car-following models [J]. Transportation Research Part C: Emerging Technologies, 2020, 117: 102698.
[134] Ma L, Qu S. A sequence to sequence learning based car-following model for multi-step predictions considering reaction delay [J]. Transportation Research Part C: Emerging Technologies, 2020, 120: 102785.
[135] 徐学明, 荣建, 王丽. 混合神经网络跟驰模型的建立[J]. 公路交通科技, 2007, 24(03): 130-132.
[136] Wan N, Zhang C, Vahidi A. Probabilistic anticipation and control in autonomous car following [J]. IEEE Transactions on Control Systems Technology, 2019, 27(1): 30-38.
[137] Tang T, Gui Y, Zhang J, et al. Car-following model based on deep learning and markov theory [J]. Journal of Transportation Engineering, Part A: Systems, 2020, 146(9): 04020104.
[138] Pop M, Prostean O, David T, et al. Hybrid solution combining kalman filtering with takagi - sugeno fuzzy inference system for online car-following model calibration [J]. Sensors, 2020, 20 (19): 5539.
[139] Li L, Jiang R, He Z, et al. Trajectory data-based traffic flow studies: a revisit [J]. Transportation Research Part C: Emerging Technologies, 2020, 114: 225-240.
[140] U.S. Department of Transportation Federal Highway Administration. Next Generation Simulation (NGSIM) [EB/OL]. (2021-12-21)[2022-03-01]. https://ops.fhwa.dot.gov/trafficanalysistools/ngsim.htm.
[141] Mahalanobis P. On the Generalized Distance in Statistics [M]// Proceedings of the National Institute of Sciences, 1936, 2(1): 49 - 55.
[142] Savitzky A, Golay M. Smoothing and differentiation of data by simplified least squares procedures [J]. Analytical Chemistry, 1964, 36(8): 1627-1639.
[143] Cleveland W. Robust locally weighted regression and smoothing scatterplots [J]. Journal of the American Statistical Association, 1979, 74(368): 829-836.
[144] Reshef D, Reshef Y, Finucane H, et al. Detecting Novel Associations in Large Data Sets [J]. Science, 2011, 334 (6062): 1518-1524.
[145] Deng J. Introduction to grey system theory[J]. The Journal of Grey System, 1989, 1(1): 1-24.
[146] 杨龙海, 赵顺, 徐洪. 基于改进优化速度函数的跟驰模型研究[J]. 交通运输系统工程与信息, 2017, 17(2): 41-46.
[147] Kesting A, Treiber M. Calibrating car-following models by using trajectory data: methodological study[J]. Transportation Research Record, 2008, 2088(1): 148-156.
[148] Ahn K, Rakha H, Trani A, et al. Estimating vehicle fuel consumption and emissions based on instantaneous speed and acceleration levels [J]. Journal of Transportation Engineering, 2002, 128(2): 182-190.
[149] Navas F, Milanés V. Mixing V2V-and non-V2V-equipped vehicles in car following [J]. Transportation Research Part C: Emerging Technologies, 2019, 108: 167-181.
[150] Cheng L, Henty B, Stancil D, et al. Mobile vehicle-to-vehicle narrow-band channel measurement and characterization of the 5.9 GHz dedicated short range communication(DSRC) frequency

band[J]. IEEE Journal on Selected Areas in Communications, 2007, 25(8): 1501-1516.

[151] Tian J, Jia B, Li X. A new car following model: comprehensive optimal velocity model[J]. Communications in Theoretical Physics, 2011, 55(6): 1119.

[152] Hayward J. Near miss determination through use of a scale of danger[J]. Highway Research Record, 1972, 384: 24-34.

[153] Lyapunov A. Mathematics in Science and Engineering, Volume 30: Stability of Motion[M]. Elsevier, 1966.

[154] Lyapunov A. The general problem of the stability of motion[J]. International Journal of Control, 1992, 55(3): 531-534.

[155] Minderhoud M, Bovy P. Extended time-to-collision measures for road traffic safety assessment[J]. Accident Analysis & Prevention, 2001, 33(1): 89-97.

[156] Drucker H, Burges C, Kaufman L, et al. Support Vector Regression Machines [C]//Advances in Neural Information Processing Systems, 1997: 155-161.

[157] 周志华. 机器学习[M]. 北京: 清华大学出版社, 2016.

[158] Breiman L, Friedman J, Stone C, et al. Classification and Regression Trees[M]. CRC Press, 1984.

[159] 李航. 统计学习方法[M]. 北京: 清华大学出版社, 2012.

[160] Chen T, Guestrin C. Xgboost: A Scalable Tree Boosting System [C]//Proceedings of the 22nd Acm Sigkdd International Conference on Knowledge Discovery and Data Mining, 2016: 785-794.

[161] Hochreiter S，Schmidhuber J. Long short-term memory[J]. Neural Computation，1997，9(8)：1735-1780.

[162] Schaul T，Zhang S，Lecun Y. No More Pesky Learning Rates[C]// Dasgupta S，McAllester D. International Conference on Machine Learning. Atlanta：Proceedings of Machine Learning Research，2013：343-351.

[163] De Jong K. Analysis of the Behavior of a Class of Genetic Adaptive Systems[R]. Michigan：University of Michigan，1975.